AMOR POR ENGANO

LYNN PAINTER

AMOR POR ENGANO

Tradução de
Helen Pandolfi

Copyright © 2022 by Lynn Painter

Todos os direitos reservados, inclusive o direito de reprodução total ou parcial em qualquer formato.

Direitos de tradução acordados com Berkley, um selo da Penguin Publishing Group, uma divisão da Penguin Random House LLC.

TÍTULO ORIGINAL
Mr. Wrong Number

COPIDESQUE
Fernanda Belo

REVISÃO
Mariana Gonçalves
Thais Entriel

PROJETO GRÁFICO
Ashley Tucker

ADAPTAÇÃO DE PROJETO GRÁFICO E DIAGRAMAÇÃO
Juliana Brandt

ILUSTRAÇÃO E DESIGN DE CAPA
Nathan Burton

CIP-BRASIL. CATALOGAÇÃO NA PUBLICAÇÃO
SINDICATO NACIONAL DOS EDITORES DE LIVROS, RJ

P163a
    Painter, Lynn
        Amor por engano / Lynn Painter ; tradução Helen Pandolfi. - 1. ed. - Rio de Janeiro : Intrínseca, 2023.

        Tradução de: Mr. Wrong Number
        ISBN 978-65-5560-630-0

        1. Romance americano. I. Pandolfi, Helen. II. Título.

23-84307   CDD: 813
                                              CDU: 82-31(73)

Gabriela Faray Ferreira Lopes - Bibliotecária - CRB-7/6643

[2023]
Todos os direitos desta edição reservados à
EDITORA INTRÍNSECA LTDA.
Av. das Américas, 500, bloco 12, sala 303
22640-904 — Barra da Tijuca
Rio de Janeiro — RJ
Tel./Fax: (21) 3206-7400
www.intrinseca.com.br

Para Kevin:

Te amo mais que no dia em que me apaixonei, quando você tirou cópia do próprio dedo fazendo uma vozinha ridícula. Mais que na vez que você pisou no meu pé para que eu não fosse embora. E até mais, acho, que no dia em que você disse que meu cabelo era igual ao do Axl Rose.

Depois de cinco filhos e um milhão de almôndegas, você ainda me faz morrer de rir e eu adoro você.

1

Olivia

Tudo começou um dia depois de eu ter incendiado meu prédio.

Eu estava sentada à ilha chique de granito na cozinha do meu irmão, devorando um pacotinho de pretzels e virando uma garrafa de Stella atrás da outra. Mas não, não tenho problema com álcool. Eu tenho um problema *com a vida*. O que significa que tudo estava uma merda e eu precisava de uma noite de sono que fosse tipo um coma, caso eu quisesse pensar em um plano para o meu futuro quando acordasse.

Depois de insistir muito, Jack me deixou ficar com ele por um mês, tempo suficiente para eu conseguir encontrar um emprego novo e um lugar para morar, contanto que eu prometesse me comportar e não encher o saco do colega de apartamento dele. *Na minha opinião, ele estava meio velho demais para ter um colega de apartamento. Mas quem sou eu pra julgar?*

Meu irmão tinha me abraçado e me entregado uma chave antes de sair para aproveitar uma promoção de asinhas de frango por cinquenta centavos no Bar do Billy. Então eu estava sozinha em casa ouvindo Adele na Alexa no volume máximo. Esse já é o tipo de música para chorar horrores, mas quando ela começou a cantar sobre "um fogo que começa no peito" lembrei do incêndio que começou na minha varanda e aí desmoronei de vez.

Eu estava ali, chorando, quando meu celular vibrou e interrompeu meu colapso. Era uma mensagem de um número que eu não conhecia:

Por que você não me diz o que está vestindo?

Olha só, mensagem de um pervertido. Assoei o nariz e digitei: O vestido de casamento da sua mãe e a calcinha fio dental favorita dela.

Nem dez segundos depois, o Cara do Número Desconhecido respondeu: O quê?

Eu respondi: Ué, bb, pensei que vc fosse achar sexy.

Cara do Número Desconhecido: Bb? Que porra é essa?

Soltei até uma risadinha só de pensar em um maluco qualquer levando um banho de água fria por mensagem. Era esquisitíssimo que o mais broxante para ele tenha sido a parte do "bb" em vez do comentário totalmente edipiano sobre a calcinha da mãe. Mas foi ele quem usou o velho "o que você está vestindo agora?", então não dá para esperar muito de um cara desses.

Eu respondi: Vc queria que fosse algo menos maternal?

Cara do Número Desconhecido: Ah, não, é sexy pra caramba. Vc ia curtir se eu estivesse de bermuda tactel, meia e chinelo e a tanguinha do seu pai?

Isso me fez sorrir em meio à minha crise de identidade e consequente chororô.

Eu: Nossa, fiquei com calor só de ler. Promete que vai contar umas piadas de tiozão no meu ouvido enquanto a gente sacode o esqueleto?

Cara do Número Desconhecido: Não precisa nem pedir, gata. Os trocadilhos e a piada do pavê já estão no gatilho. E "sacudir o esqueleto" é a coisa mais sexy que eu já li.

Eu: De acordo.

Cara do Número Desconhecido: Mandei mensagem pro número errado, né?
Eu: Pois é.

Dei um soluço; a cerveja finalmente estava batendo. Decidi parar de zoar o cara e mandei a seguinte mensagem: Mas não desiste, amigão. Boa sorte com a sacudida! ☺

Cara do Número Desconhecido: Essa foi a conversa mais estranha que eu já tive por mensagem.
Eu: Idem. Boa noite e boa sorte.
Cara do Número Desconhecido: Obrigado pelo apoio e boa noite para você também.

Quando a cerveja começou a me deixar sonolenta, decidi tomar banho — *adeus, cabelo com cheiro de fumaça* — e dormir. Revirei minha mochila atrás de uma muda de roupas, mas aí me lembrei — óbvio — do incêndio. Só me restavam as roupas esquecidas no fundo do armário da academia e umas peças nada a ver no banco traseiro do carro, perdidas a caminho da lavanderia. Achei uma blusa de pijama do Come-Come, mas percebi que não tinha nenhuma calça: nem de pijama, nem jeans, nem shorts. A única parte de baixo que eu tinha era o short de academia fedorento que estava vestindo.

Não ter uma calça para vestir seria meu fundo do poço?

Mas eu tinha roupas íntimas, ainda bem. Trouxe comigo um par de calcinhas com "Foda-se o capitalismo" escrito na bunda. O fato de ainda ter essa calcinha era o que me impedia de cair de cabeça nesse poço sem fundo.

Tomei um banho de meia hora, bêbada e maravilhada com o chuveiro potente e com o condicionador caro do colega de apartamento de Jack. Sem querer, a embalagem escorregou da minha mão e a válvula quebrou, espalhando creme por todo o chão do box. Fiquei de joelhos e devolvi o máximo que consegui à embalagem, depois coloquei com cuidado na prateleira e torci para ninguém perceber.

Spoiler: as pessoas sempre percebem.

Porém, duas horas depois eu ainda estava sem um pingo de sono, deitada no colchão inflável barulhento que meu irmão me deixou usar no escritório dele, os olhos inchados mirando o teto enquanto relembrava tudo que tinha dado errado antes de eu ir embora de Chicago.

A demissão. A traição. O término. O incêndio.

Então falei:

— Ah, que se foda.

Eu me levantei, fui até a cozinha, arranquei o lacre de uma garrafa de tequila com um sol sorridente de bigode no rótulo e preparei a pior bebida de todos os tempos. Eu poderia até ficar com dor de cabeça no dia seguinte, mas pelo menos ia conseguir dormir.

— Livvie, é a mamãe. Pensei que você viria para cá hoje.

Abri os olhos — bom, um deles, pelo menos — e olhei para a tela do celular de onde vinham os gritos de minha mãe. Oito e meia? Ela queria que eu fosse para casa dela *oito e meia da madrugada?* Pelo amor de Deus! Isso é coisa de psicopata, de gente que maltrata cachorro e chuta velhinhas na rua ou algo assim.

Por que eu tinha atendido?

— Eu ia. Quer dizer, eu vou. Eu já estava levantando.

— Achei que você ia mandar currículos hoje.

Adele voltou a ecoar pelo apartamento — *ô, porra* — e eu gritei:

— Alexa, para a música.

— Com quem você está falando? — quis saber minha mãe.

— Com ninguém. — A música continuava. — Alexa, desligue a Adele.

— Seus amigos estão aí?
— Não, mãe. Meu Deus.
Eu me sentei e finalmente abri o outro olho, minha testa inteira martelando de dor. A música cessou de repente.
— Eu estava falando com a caixinha de som do Jack.
Ela suspirou daquele jeito que queria dizer por-que-minha-filha-é-tão-irresponsável.
— Não vai mandar currículos, então?
Meu Deus, alguém me dá um tiro.
— Vou mandar — respondi, um gosto ruim na boca. — Agora existe a internet, não tem problema começar depois do almoço, mãe. Pelo amor de Deus.
— Não estou entendendo mais nada. Você vem ou não?
Respirei fundo e me lembrei dos meus probleminhas de vestimenta. Não poderia sair sem lavar uma roupa antes.
— Não, só mais tarde. O trabalho é minha prioridade, passo aí depois que terminar de procurar emprego.
E depois de arranjar uma calça.
— Seu irmão está em casa?
— Não faço a menor ideia.
— Como não sabe se ele está em casa ou não?
— Porque ainda estou na cama e a porta está fechada.
— Por que está dormindo com a porta fechada? Esse quarto fica abafado sem ventilação.
— Pelo. Amor. De. Deus. — Suspirei enquanto massageava minhas têmporas. — Vou me levantar daqui um segundo e se eu topar com sua outra prole, aviso que você ligou. Tá bom?
— Ah, não precisa. Só queria saber se ele estava em casa.
— Tenho que desligar.
— Você já depositou aquele dinheiro?
Pressionei os lábios e respirei fundo. Não que aquilo fosse surpresa vindo da minha mãe. A única coisa pior que pedir dinheiro para seus pais, aos vinte e cinco anos, depois de chegar na cidade

cheirando a fumaça e sem um puto no bolso, era ter uma mãe que queria ficar falando sobre isso. Respondi:

— Sim, fiz isso on-line ontem à noite.

Como se eu tivesse escolha a não ser depositar aquela humilhante contribuição dos meus pais o mais rápido possível. Depois de a poeira ter baixado (ou, melhor dizendo, a fumaça), descobri que meu prédio não tinha mais salvação, então precisei gastar meus poucos trocados em itens básicos de sobrevivência, tipo óleo, pneus e gasolina para voltar para Omaha.

Graças a Deus eu ainda tinha um último salário para receber na próxima semana.

— Você fez pelo computador? — questionou minha mãe.

Cerrei a mandíbula.

— Sim.

— O marido da Evie disse para *nunca* fazer isso. É praticamente entregar dinheiro de bandeja para os hackers.

Minha cabeça latejava.

— Quem é Evie?

— Minha dupla de carteado, aquela que mora em Gretna. Você presta atenção em alguma coisa do que eu falo?

— Mãe — comecei a responder, considerando usar a velha desculpa do "estou entrando no elevador e vou ficar sem sinal" —, eu não consigo guardar o nome de todas as amigas com quem você joga baralho.

— Bom, querida, só tem uma, não é tão difícil assim. — Ela soou profundamente ofendida. — Precisa parar de acessar sua conta do banco no computador. É só ir até o caixa.

Suspirei.

— Você queria que eu *dirigisse até Chicago* para fazer um depósito?

— Não precisa ficar irritada. Só estou tentando ajudar.

Suspirei outra vez e me levantei com dificuldade do colchão que desinflava toda vez que eu me ajeitava durante a noite.

— Eu sei. Desculpe. Foram dias difíceis.
— Eu sei, filhota. Mas passe aqui mais tarde, tá bom?
— Tá bom. — Andei até a porta e a abri. — Te amo. Tchau.

Joguei o celular na escrivaninha e fechei os olhos quando a luz natural vinda da sala invadiu o escritório. Meu Deus, que ressaca. Meu equilíbrio estava meio comprometido, no nível que deixa evidente que você ainda está bêbado demais para dirigir, então fui aos tropeços até a cafeteira, desesperada por um pouco de café.

— Olha só quem está aqui. Bom dia, raio de sol.

Congelei e imediatamente achei que fosse vomitar.

Colin Beck, o melhor amigo de Jack, estava me assistindo cambalear rumo à cozinha. Como se o universo já não tivesse me dado a maior surra, lá estava ele, ao lado da mesa de café da manhã, os braços cruzados e a sobrancelha arqueada, testemunhando minha vergonha. O sorrisinho naquele rosto ridiculamente atraente dizia sou-muito-melhor-que-você enquanto eu andava pelo apartamento de calcinha e uma camiseta minúscula como se tivesse saído diretamente do *Ursinho Pooh*.

Pisquei devagar. Ele tinha ficado *ainda mais* bonito?

Que babaca.

Eu o vi pela última vez no meu primeiro ano da faculdade, quando fui expulsa do dormitório e precisei passar o último mês do semestre morando na casa dos meus pais. Jack tinha convidado Colin para comer macarronada no domingo e ele rolou de rir ao saber que o cachorro que eu havia resgatado mordeu vários estudantes, e como isso, de alguma forma, acabou ativando o alarme de incêndio, resultando em um alagamento geral dos dormitórios, o que, por sua vez, levou à minha expulsão.

Ele parecia ter acabado de voltar da academia. A camiseta úmida grudava em seu corpo super-hiper-definidérrimo e dava para ver uma tatuagem de relance no braço direito.

Quem ele achava que era? O The Rock?

Colin tinha traços de estrela de cinema, com uma estrutura óssea perfeita, um queixo imponente e olhos azuis. Mas seu olhar tinha um quê de travessura que era ainda mais intenso que sua beleza. Era um olhar turbulento. Eu era meio apaixonadinha por ele quando tinha catorze anos, mas, um ano depois, ouvi sem querer uma conversa em que ele me chamava de "esquisitinha", e fiz uma curva brusca em direção ao ódio e nunca mais dei ré.

— O que você tá fazendo aqui?

Eu o contornei para chegar até a cafeteira no balcão lustroso e pressionei o botão para ligar. O ar fresco me lembrou de que minha bunda estava completamente exposta com aquela calcinha idiota, mas eu preferia morrer a dar a ele o gostinho de perceber que me desconcertava. Eu me segurei para não puxar a camiseta do Come-Come para baixo enquanto procurava o pó de café nos armários, dizendo para mim mesma que era só uma bunda e tudo bem. Então falei:

— Pensei que você tinha se mudado para o Kansas ou para Montana.

Ele pigarreou.

— Está no armário ao lado da geladeira.

Olhei para ele.

— Hã?

— O café.

Ninguém perguntou. Ele me fazia lembrar daqueles mafiosos que sempre sabem tudo e sempre têm razão. Então resolvi mentir:

— Mas eu não estava procurando café.

Ele ergueu uma sobrancelha e apoiou o quadril contra a mesa.

— Ah, não?

— Não. — Mordi o lábio e improvisei. — Na verdade, eu estava procurando... hum... o chá.

— Ah, tá bom, ok. — Pelo seu olhar, ele parecia saber, de alguma forma, que eu odeio chá. — Nesse caso, está no mesmo armário. Ao lado da geladeira.

Pelo amor de Deus, como isso está acontecendo comigo? Por que estou conversando com Colin Beck só de calcinha?

— Obrigada.

Contive a vontade de revirar os olhos e fui até o armário, tão sedenta por café que estava a ponto de chorar. Tinha só um tipo de chá, Earl Grey, que eu sabia que ia detestar. Peguei uma cápsula e voltei até a máquina.

— Cadê o Jack?

— Hum. — Eu senti o olhar dele em mim enquanto respondia.

— Foi trabalhar.

— Entendi. *Então por que você está aqui?*

— Ele disse que você vai passar um mês aqui. — Ele se apoiou no balcão com os antebraços bronzeados (pelo amor, como era possível que *antebraços* fossem sexy?) e começou a mexer na pulseira do relógio de corrida. — É isso mesmo?

— Aham. — Peguei uma caneca no balcão, enchi de água e abri o reservatório da cafeteira. — Meu irmão sabe que você está aqui, falando nisso?

Ele levantou o olhar do relógio.

— Como assim?

Me inclinei sobre a cafeteira para encher o reservatório.

— Você avisou que vinha?

Ele fez um barulho que era meio tosse, meio risada, e disse:

— Caramba. Você sabe que eu também moro aqui, né?

Meu Deus. Ele não podia estar falando sério. Encarei seu rosto buscando desesperadamente um sinal que dissesse que era apenas zoação de Colin, mas no fundo eu sabia que não era. Antes que eu pudesse decifrar sua expressão, ele gesticulou com as mãos na minha direção e falou:

— A água. Presta atenção na água, Liv.

— Droga.

Eu tinha errado a boca do reservatório e derramado água por todo o balcão. Peguei um pano de prato e tentei enxugar, mas o tecido não era nada absorvente e só serviu para empurrar a água para o chão.

Tudo isso enquanto aquele imbecil arrogante assistia com um sorriso entretido.

— Você não tem nada melhor para fazer do que me ver enxugando a cozinha?

Ele deu de ombros e voltou a se apoiar no balcão como se tivesse todo o tempo do mundo.

— Na verdade, não. Mas, mudando de assunto, gostei do seu cabelo assim.

— É mesmo? Gostou? — Dei um sorriso irônico e meio homicida. — Batizei esse corte de indo-morar-com-o-Colin. É como se ele tivesse pegado fogo.

— Falando em fogo, estou morrendo de curiosidade, Marshall. Como você conseguiu incendiar um prédio inteiro? — Ele inclinou a cabeça e continuou: — Você sempre foi meio destrambelhada, mas queimar cartinhas apaixonadas em uma varanda de madeira feito uma piromaníaca é demais até para você.

Senti um nó na garganta.

Não porque aquele cretino me achava idiota; ele sempre achou. Minhas desventuras eram a grande diversão de Colin, como uma série ruim que ninguém admite que gosta, mas sempre maratona no sofá.

Eu era tipo o *Casamento às Cegas* dele.

Mas o fato de ele saber os mínimos detalhes de algo que tinha acontecido apenas dois dias antes em uma cidade a oito horas de distância significava que Jack tinha contado para ele. E meu irmão obviamente deu mais detalhes do que apenas um vago "minha irmã perdeu a casa num incêndio", já que Colin mencionou as cartas.

Jack tinha compartilhado até os detalhes mais sórdidos.

O namorado infiel, o ritual com vinho e queima de cartas na varanda, o incêndio classe A... tudo. Senti vontade de vomitar pensando nos dois morrendo de rir às minhas custas enquanto Jack contava a minha última tragédia.

As palavras "não foi minha culpa" estavam na ponta da língua, implorando para serem gritadas. Queria gritá-las para quem estivesse lendo a matéria nos jornais, clicando no link ou vendo o sorriso debochado do repórter ao dizer *cartas de amor*.

Porque não tinha sido minha culpa.

Sim, botei fogo nos poemas de Eli. Estava perigosamente perto da embriaguez enquanto fumava um cigarro atrás do outro e destruía as cartas daquele canalha traidor, mas fiz isso numa lixeira de metal. E tinha um copo cheio d'água logo ao lado, só por via das dúvidas. Não sou idiota. Me preparei completamente para o Exorcismo do Infiel do Elijah.

Mas não para o gambá.

Eu estava contemplando minha minifogueira, quietinha, pensando que talvez não fosse tão ruim ficar sozinha, quando aquele bichinho feio veio correndo da sarjeta e pulou direto na minha varanda. Eu levei um susto e ele também, ao perceber minha presença. Seu susto foi tanto que ele saiu patinando pela varanda e bateu na mesa onde o balde estava. E o balde caiu no chão.

E é óbvio que uma linda esteira de palha cobria o chão da varanda.

— Olha só, seria ótimo ficar aqui para ouvir você falar o que acha de mim etc., mas tenho mais o que fazer. Pode olhar pro outro lado, por favor?

— Por quê?

Suspirei e quis enfiar a cabeça num buraco.

— Porque quanto mais acordada eu fico, mais desconfortável me sinto com o fato de que estou falando com você só de calcinha.

Surgem vincos nos cantos de seus olhos.

— Pensei que nada era capaz de deixar você com vergonha.

— Não estou com vergonha.

Se fosse qualquer outra pessoa no mundo, eu admitiria que fico com vergonha o tempo todo, o que normalmente justificava minha tendência a tropeçar, derrubar coisas, cair, enfim, minha falta de jeito no geral. Mas, porque era o Colin, respondi:

— O problema é que você não merece o espetáculo que é a minha bunda.

Passei por ele e saí da cozinha de queixo erguido, mas com o rosto ardendo, rezando para que a minha bunda estivesse bonita naquela calcinha ridícula. Só depois de bater a porta do meu quarto improvisado é que me permiti sussurrar todo o arsenal de palavrões que eu conhecia.

2

Olivia

O dia não melhorou muito depois daquilo.

Eu me tranquei no escritório e me candidatei a umas dez vagas para as quais estava longe de ser qualificada; encontrei algumas vagas de redação técnica para as quais eu era qualificada, mas que pareciam muito entediantes; e um mundo de vagas de *copywriter* que *quase* correspondiam ao meu perfil (mas não muito).

Nesse meio-tempo, dei um jeito de ferrar com a impressora (que eu usei sem permissão) e sujar o tapete com tinta de cartucho (spoiler: tentar limpar com um pano molhado não foi uma boa ideia e o tapete foi pro saco), então eu estava começando com o pé direito.

Depois disso, peguei o carro e fui até a casa dos meus pais para buscar algumas roupas que havia deixado lá quando entrei na faculdade. Enquanto revirava um monte de peças que tinham saído de moda na década passada, minha mãe me mostrava a coleção de links de notícias sobre o incêndio que ela estava salvando. Sabe como é, assim eu nunca esqueceria o que aconteceu.

Ela me serviu lasanha e meu pai começou um sermão sobre como um adulto deve se comportar e a importância de um seguro-fiança.

Fui embora com azia, uma marmita e um sentimento de mágoa muito maior que a camiseta que eu usava quando fazia parte da banda da escola no ensino médio e com a qual eu teria que me reacostumar até arranjar um trabalho e ter dinheiro pra comprar roupas novas.

Quanto será que eu poderia ganhar sendo motorista de aplicativo?

Quando voltei ao prédio de Jack, não estava com vontade de subir. O dia havia sido tão ruim que eu não tinha mais cabeça para lidar com Colin. Ou com o meu irmão, para ser bem sincera.

Ou com a reação deles assim que eu contasse sobre o tapete.

Então fui para o terraço.

Eu tinha visto uma plaquinha no elevador sobre o terraço e *todas* as expectativas foram atendidas: dava para uma vista fantástica da cidade e era cheio de vasos de petúnias exuberantes e *chaises longues* chiques.

Eu me sentei de pernas cruzadas e respirei fundo, inspirando o ar de verão.

Ahhhhhh. Era como se eu estivesse respirando pela primeira vez desde que Eli apareceu no café para me dizer que não me amava.

Isso tinha mesmo acontecido dois dias antes?

Meu celular vibrou, e quando olhei para a tela vi uma mensagem com o mesmo número desconhecido da noite anterior.

O que está vestindo?

O Cara do Número Desconhecido ataca novamente. Que babaca. Respondi: Haha. Essa tática deu certo pra vc ontem à noite?

O casal que estava próximo à braseira do outro lado do terraço deu uma risadinha. Eu me perguntei qual seria o nível populacional de gambás naquela parte da cidade.

Cara do Número Desconhecido: Eu nem tentei nada depois do banho de água fria que vc me deu. Fui para casa dormir.

Eu: Coitadinho. Sinto muito por ter arruinado a cantada mais merda do universo.
Cara do Número Desconhecido: Vc não sabe se era uma cantada. Podia ser uma pesquisa sobre moda feminina.
Eu: Aham, com certeza.
Cara do Número Desconhecido: Por falar nisso, estou fazendo uma pesquisa sobre moda feminina. Pode descrever o que está vestindo neste momento?

Olhei para meu short de ginástica e respondi: Vestido Valentino, sapatos Ferragamo e o *fascinator* de penas mais descolado que você já viu. Poderia até ter sido da Rainha.

Cara do Número Desconhecido: Entendi. Vc tá de pijama.
Eu: Tipo isso.
Cara do Número Desconhecido: Antissocial por escolha ou por azar?
Eu: Por escolha. Mas sou a rainha do azar, vc nem imagina.
Cara do Número Desconhecido: Ah, não pode ser tão ruim assim.
Eu: Juro que é.
Cara do Número Desconhecido: Três exemplos, por favor.

Sorri. Era incrivelmente libertador falar com alguém que não me conhecia.

Eu: Na faculdade, fui cortar as unhas do pé e tive que usar um tampão de olho por um mês.
Cara do Número Desconhecido: Nojento, mas impressionante. Número dois?

Eu: Uma vez fiquei presa num banheiro químico que tombou comigo dentro.
Cara do Número Desconhecido: Meu Deus.
Eu: Festival de música, vento forte etc. O negócio tombou com o lado da porta para baixo. Esse dia ainda me dá pesadelos.
Cara do Número Desconhecido: Quero saber qual é o terceiro exemplo, mas me fala primeiro por quanto tempo vc ficou presa.
Eu: Vinte minutos que pareceram dias. Meus amigos bêbados levantaram a cabine o suficiente pra eu passar por uma fresta na porta.
Cara do Número Desconhecido: E estou deduzindo que vc ficou...
Eu: Sim, coberta de dejetos humanos.
Cara do Número Desconhecido: Segurando o vômito aqui.
Eu: Uma reação comum. E, só pra colocar a cereja no seu bolo de entretenimento, a história termina comigo levando um jato de água pressurizada daquelas mangueiras de bombeiro.
Cara do Número Desconhecido: Uau. Vai ser difícil superar o número dois.
Eu: Ah, seu bobinho. O exemplo número dois não passou de um aperitivo.
Cara do Número Desconhecido: Não seja por isso, vamos para o terceiro então.

Parei para pensar por um instante. Eu já vivi mil e uma situações constrangedoras que poderiam entrar na lista. Teve o dia em que derrubei uma bola de boliche no pé num primeiro encontro, a vez que caí numa piscina vazia e quebrei o cotovelo, entre tantas outras. Minha vida era assim. Mas já que esse cara não me conhece, decidi contar o pior de todos.

Eu: Eu não só apresentei meu namorado (agora ex) para minha colega de trabalho linda de morrer, como encorajei os dois a trabalharem juntos num projeto que fazia com que eles passassem horas e horas sozinhos no apartamento dela.
Cara do Número Desconhecido: Puts.
Eu: Né? Isso provavelmente não deve contar como azar, só idiotice mesmo.
Cara do Número Desconhecido: Não te conheço então vc pode ser uma doida varrida, MAS, se não for, acho que o fato de vc ter confiado nos dois a esse ponto faz de vc uma pessoa mto legal.

Eu ainda não havia contado para ninguém o que tinha acontecido com Eli, então ler isso me trouxe uma sensação boa.

Eu: Pode até ser, mas vc teria feito uma coisa tão idiota?
Cara do Número Desconhecido: Prefiro não responder.

Eu ri. Tá vendo?

Cara do Número Desconhecido: E se eu contar uma idiotice minha pra gente ficar empatado?
Eu: Achei que vc tinha dito que não era idiota.
Cara do Número Desconhecido: Shiu.
Eu: Continue.
Cara do Número Desconhecido: Quando eu estava na faculdade, pedi minha namorada em casamento mesmo sem ter um anel.
Eu: Isso não é idiota.

Cara do Número Desconhecido: Ela disse não pq, nas palavras dela: "Se vc me conhecesse saberia que eu quero um anel."
Eu: Puts.
Cara do Número Desconhecido: Não falei?
Eu: Não consigo imaginar como é ser tão bem resolvido NA FACULDADE a ponto de pedir alguém em casamento. Eu lambi vodca do chão todo fim de semana até a formatura.
Cara do Número Desconhecido: Acho que eu devia ter tentado isso.
Eu: Mas deduzo que vc já tenha superado.
Cara do Número Desconhecido: O que te fez deduzir isso?
Eu: Vc mandando "o que vc está vestindo?" para números aleatórios.
Cara do Número Desconhecido: Eu DE FATO superei, mas não mandei mensagem para um número aleatório, só digitei errado sem querer. Minha mensagem era para alguém que eu conheço, lembra?
Eu: Ah, sim. É verdade.

Eu me espreguicei e estiquei as pernas. Olhei para o céu. A noite estava linda e eu estava me divertindo, no fim das contas.
Falando com alguém que eu não conhecia.
Meu Deus, que patético.

Eu: Olha só, Número Desconhecido, você parece ser um doce de pessoa, mas não tenho interesse em ter um amigo virtual. Já assisti *Catfish* e *90 Dias Para Casar* e essa não é bem a minha praia.
Cara do Número Desconhecido: Nem a minha.
Eu: Então... boa noite pra você.

Cara do Número Desconhecido: Então é isso? Tudo ou nada?
Eu: Parece que é isso aí.
Cara do Número Desconhecido: E não estamos usando a internet, só para deixar registrado.
Eu: Pode ser, mas dá no mesmo.
Cara do Número Desconhecido: Você não está achando isso meio... divertido?
Eu: Tô sim, pra falar a verdade.
Cara do Número Desconhecido: Então...?
Eu: Então... Não muda nada. Essas coisas sempre acabam ficando estranhas.
Cara do Número Desconhecido: Vc tem razão. Ainda mais com o seu azar.
Eu: Aham.
Cara do Número Desconhecido: Bom, então boa noite, srta. Sem Querer.
Eu: Boa noite pra vc tb, Cara do Número Desconhecido.

Deixei o celular de lado e tive a sensação de estar despertando de alguma coisa, como se tivesse saído depois de um mês trancada num porão muito escuro. Fazia bastante tempo desde que me sentia tão relaxada, então me espreguicei sob a luz da lua e coloquei as mãos atrás da nuca.

Era estranho pensar nisso, mas eu meio que tinha a impressão de que estava me sentindo assim por ter desabafado com o Cara do Número Desconhecido. *Mais leve.* Leve o suficiente para voltar para o apartamento, na verdade.

Porque, na real, quem liga se Jack e Colin têm pena de mim? Por que deixei isso me afetar, para começo de conversa? Eu amava meu irmão, mas a verdade era que o apartamento deles não era nada além de um lugar onde eu dormiria pelo mês seguinte.

Um apartamento muito legal do qual eu tiraria proveito. Tipo um Airbnb, só que sem precisar pagar.

Eu mandei uma mensagem para Jack: Estão em casa?

Jack: No Old Market. Pq?

Uhul! Privacidade!

Eu: Só por curiosidade. Bom passeio.

Fui até meu carro, peguei o saco de lixo cheio de roupa da época da escola e subi até o apartamento. A noite anterior tinha sido tão confusa que nem havia conseguido me acomodar e explorar o local. Subi o elevador assoviando, e, pela primeira vez desde que Eli me agradeceu por ter lhe apresentado sua alma gêmea, estava me sentindo uma adulta de verdade e não uma otária chifruda.

Larguei minhas chaves na mesinha ao lado da porta e arrastei meu saco de lixo até o escritório. Joguei tudo no chão e empurrei para um canto, depois vasculhei a pilha de roupa até encontrar o que eu queria: a calça de flanela verde-clara que eu usava para dormir no ensino médio e meu moletom manchado de tinta.

Não importava que estivéssemos em junho. O apartamento estava congelante, então usar essa roupa foi como vestir um cobertor. Eu me aconcheguei na maciez do tecido, botei duas meias de pares diferentes e prendi o cabelo em um rabo de cavalo. Liguei o bluetooth do meu celular e fui para a cozinha.

— Alexa, toque a playlist Hora H.

"Sex Talk" começou a tocar e eu aumentei o volume, saltitando pelo apartamento chique. Eu tinha feito a playlist de brincadeira para Eli; estava cheia de músicas sugestivas que eu sabia que ele acharia ofensivas, mas aparentemente não me ofendia nem um pouco, porque acabei me apaixonando pela mistura animada de músicas supersexuais.

E como ele no fim se transformou no maior imbecil do universo, a playlist acabou virando minha trilha sonora.

Dei umas piruetas no chão liso da cozinha, meus movimentos potencializados pelas meias, antes de ir até a janela que dava para a cidade. Eu estava obcecada por aquela parte do apartamento, podia passar horas ali, diante daquelas janelas enormes que iam do chão ao teto, só olhando o mundo.

— Quer uma cerveja?

— Meu Deus. — Eu me virei depressa com a mão no peito e me deparei com Colin parado no batente da porta do seu quarto, com um sorrisinho. Ele vestia uma camisa preta e calça jeans e seu cabelo estava arrumado daquele jeito meio almofadinha — Não sabia que tinha gente em casa.

Ele apontou para a caixa de som.

— Deu pra perceber.

— Pensei que você estava com meu irmão. — Senti minhas bochechas esquentarem quando Megan Thee Stallion começou a cantar *muito alto* sobre como satisfazer o homem dela.

Quase gritei "Alexa, desligar!".

Colin parecia sorrir com os olhos. Ele cruzou os braços.

— Então... cerveja?

Desacostumada com tanta gentileza, perguntei:

— Está oferecendo ou perguntando se eu tenho?

— Oferecendo — respondeu ele, com uma expressão de quem sabia que tinha merecido aquela pergunta. — Temos uma geladeira de cervejas na lavanderia.

— Hum. — Eu coloquei o cabelo atrás da orelha e respondi: — Sim. Valeu.

Quando ele foi buscar as bebidas, ajeitei o moletom para que a minha falta de sutiã ficasse menos aparente. Imaginei que ele voltaria com uma cerveja, mas, em vez disso, ele gritou de lá:

— Vem escolher. Seu irmão gosta de muita coisa esquisita.

— Ah.

Entrei na pequena lavanderia e o encontrei inclinado por cima do freezer deixando à mostra — caramba — uma bundinha deliciosa. Parecia que Colin investia muito tempo em afundos e agachamentos. Talvez ele andasse por aí fazendo afundos.

Ele olhou de relance para trás.

— Viu algo do seu interesse?

Pelo amor de Deus. Pigarrei e apontei, me concentrando para conseguir falar:

— Aquilo é uma Vanilla Bean Blonde ao lado da Mich Ultra?

— Aham.

Colin se esticou, me deu minha cerveja e pegou uma Boulevard. Saímos juntos da lavanderia, depois fui até a cozinha, onde sabia que o abridor estava.

— Valeu pela cerveja.

— Não esquenta. — Ele deu a volta, pegou o abridor em uma das gavetas e o estendeu em minha direção. Então disse: — Falando nisso, te devo um pedido de desculpas.

Aquilo chamou minha atenção. Peguei o abridor e perguntei:

— Pelo quê?

Ele assumiu uma postura mais séria ao responder.

— Pelo que eu disse sobre o incêndio hoje de manhã. Foi bem babaca E nem é da minha conta, na verdade.

Abri a garrafa e a levei até a boca.

— E...?

Um vislumbre de irritação perpassou pelo seu rosto.

— Como assim, "e"? Você não vai aceitar meu pedido de desculpas?

— Só não entendi. — Notei que suas mãos eram bonitas (*para com isso, Liv*) enquanto ele abria a própria cerveja. — Você tá realmente me pedindo desculpas?

— Não foi o que eu acabei de dizer?

— Bom, foi, mas você sempre foi superidiota comigo e nunca me pediu desculpas.

Eu finalmente dei um gole na minha cerveja, observando sua confusão.

Ele pareceu indignado ao responder:

— Eu já pedi desculpas antes.

— Nunquinha nessa vida.

— Bom, se não pedi é porque sempre foram brincadeiras leves. — Ele olhou para mim como se houvesse um sentimento de cumplicidade entre nós. — Sempre brincamos um com o outro. É uma coisa nossa. Não é?

Ele realmente pensava isso? Que todo aquele "Liv é uma otária!" era só uma brincadeirinha entre amigos? Por alguma razão aquilo me irritou, o fato de que ele nem sequer sabia que eu não gostava dele. Ele não *deveria* saber?

Mas decidi deixar pra lá, afinal, seríamos colegas de apartamento pelo próximo mês. Seria muito mais fácil se eu não brigasse com ele. Eu só precisava evitá-lo. Ficar longe de Colin era a única maneira de garantir um mês tranquilo e livre de aluguel.

— É. Obrigada mais uma vez pela cerveja. Tô sem sono, mas tenho um milhão de coisas para fazer amanhã então já vou me preparar para dormir. É impressionante como a insônia bate quando você acaba com sua vida.

Ele sorriu de maneira surpreendentemente genuína.

— Aposto que sim.

Dei de ombros.

— Mas tudo bem, tenho certeza de que vou começar a dormir igual a um bebê logo, logo. Assim que o cheiro de fuligem sair pelos meus poros.

— Estou na torcida — respondeu ele, deixando escapar uma risada.

Eu já estava de saída quando ele disse:

— Posso usar a impressora rapidinho antes de você dormir? Só preciso imprimir um arquivo de...

— Não! — Eu me virei de novo e me xinguei mentalmente por ter soado tão nervosa. — Quer dizer, não pode ser amanhã? Estou muito cansada.

Ele franziu a testa.

— Você acabou de dizer que tem insônia.

Eu mordi o lábio e tentei outra vez:

— É que todas as minhas coisas estão espalhadas pelo escritório e eu...

— O que aconteceu? — Colin semicerrou os olhos e cruzou os braços. Ele parecia um detetive desconfiado de que eu havia feito alguma coisa.

Ergui os braços e apertei o rabo de cavalo.

— Não aconteceu nada. Hum. É que eu não queria que...

— Desembucha, Marshall.

Suspirei.

— Tá bom. A impressora quebrou hoje de manhã quando tentei usar. Não fiz nada de errado, ela quebrou sozinha. Mas acho que consigo consertar.

— Posso dar uma olhada?

Eu realmente não queria que ele visse a montanha de roupas velhas, mas o apartamento era *dele*.

— Tá bem.

Fomos até o escritório, e no momento em que entramos percebi que ele olhou para o saco de lixo e a pilha enorme de roupas. Era constrangedor, mas pelo menos a bagunça estava escondendo a mancha no tapete.

— Eu sei o que você está pensando.

— Duvido muito.

— Eu estava na casa dos meus pais e minha mãe me deu esse monte de roupas. Mas ela não tinha malas, então precisei colocar tudo em um saco de lixo.

— Era exatamente o que eu estava pensando.

— Mentira.

Ele respondeu com uma piscadela, e meu estômago pareceu virar do avesso.

Colin se abaixou e abriu a impressora. O lugar do cartucho estava aberto.

— O que aconteceu aqui?

— Eu precisei desencaixar com uma chave de fenda. Não se preocupe, joguei no Google antes.

Ele examinava a impressora.

— Ah, bom, se você jogou no Google...

— Eu sabia o que eu estava fazendo.

Ele olhou para mim como se eu fosse maluca e apontou para o encaixe quebrado.

— Sabia mesmo?

Dei de ombros.

Ele começou a cutucar a máquina e tirou dois pedaços amassados de papel lá de dentro. Depois de uns minutos, a impressora estava funcionando outra vez.

Colin se levantou.

— Tarãm.

Revirei os olhos, o que o fez sorrir. Seus olhos maliciosos pareceram cintilar quando ele perguntou com a voz profunda:

— Quer que eu arrume mais alguma coisa, Liv?

Eu sabia que aquilo não era uma cantada — tinha certeza absoluta —, mas ainda assim fiquei balançada. Quando falei, minha voz estava trêmula:

— Acho que não.

Ele continuou me olhando por mais uma fração de segundo, como se nós dois estivéssemos silenciosamente reconhecendo a centelha de flerte, e depois disse:

— Boa noite, então.

Eu respirei fundo e me joguei no colchão inflável.

— Boa noite, então.

3

Olivia

— Cara, por que você tá acordada? — Jack estava sentado num banquinho enquanto mexia no celular e comia o que parecia um burrito de café da manhã.

— Vou sair para correr.

Coloquei o pé no banquinho ao lado do dele e amarrei meu tênis. O espanto de Jack não me surpreendia; nem eu mesma estava acreditando. Eu sempre dormia por mais vinte minutos depois de meu alarme tocar, e quando finalmente levantava, me arrumava correndo e terminava de me maquiar no carro. Esse negócio de acordar cedo era novidade para mim.

Fiz uma careta ao sentir o cheiro do burrito.

— Meu Deus, que cheiro horrível.

— Desde quando você corre? — Ele olhou para mim como se eu tivesse dito que ia *correr uma maratona*. — Você fazia a mamãe ir te buscar na escola sempre que tinha aula de educação física.

— Eu tinha oito anos nessa época. — Terminei de amarrar o tênis e passei para o outro pé. — E você fazia a mamãe dizer para o sr. Graham que você tinha uma doença de pele para poder usar camiseta na aula de natação. Imagino que você tenha *superado essa fase*, da mesma forma que eu superei o meu inatletismo.

— Essa palavra nem existe.

— *Essa palavra nem existe* — imitei numa voz irritante.

Um dia morando com meu irmão e minha maturidade já estava regredindo. Endireitei a postura e coloquei meus fones, me segurando para não revirar os olhos. Mal sabia meu irmão que eu ainda estava irritada por ele ter contado tudo para Colin. Aquela carinha de "olha só como eu sou engraçado" me deixou irritada.

Mas já que ele estava colocando um belo teto sobre a minha cabeça, eu precisava engolir sapo.

Ele tomou um longo gole de suco de laranja e disse:

— Tem certeza de que você vai correr às seis e meia da manhã? Ainda está meio escuro. Parece meio perigoso.

— Estou levando um spray de pimenta no meu top. Não vai acontecer nada.

— Ah, sim, porque um bandido com certeza vai esperar você pegar seu spray.

— Me erra, Jack. Eu *desafio* alguém a mexer comigo.

Era o primeiro dia da Olivia 2.0, Nova em Folha, minha versão melhorada que faria exercícios regularmente, comeria bem, usaria um planner e arranjaria um emprego. Assim que tivesse dinheiro, eu faria até uma rotina de *skincare*, como uma legítima adulta.

— A mamãe me pediu pra cuidar de você, falando nisso. — Jack se inclinou e abriu um sorrisinho. — Ela disse que você está meio "esquentadinha" desde que voltou, querendo arranjar encrenca por qualquer coisa.

— Não tenho tempo para discutir sobre os delírios da nossa mãe. — Ela era tipo uma versão classe média da Emily Gilmore.

— Mas ela está certa sobre o Eli?

Bom, *aquilo* foi suficiente para me desestabilizar. Tentei fingir que não me importava ao dizer:

— Não sei. O que ela disse sobre ele?

O nome dele ainda fazia meu peito doer. *Pensei que ele seria a pessoa certa.*

— Só que ela acha que ele terminou com você ou te traiu — disse Jack, juntando com o garfo os restos de burrito no prato.

— Ela disse que esses seriam os únicos motivos para você queimar as cartas dele.

É. Minha mãe me conhecia. E Eli de fato tinha feito as duas coisas. Mas eu não queria que eles soubessem os detalhes. Durante os dois anos em que morei em Chicago — um deles *com* Eli —, minha família agiu como se eu finalmente tivesse amadurecido. Eu tinha um apartamento na Cidade dos Ventos, um namorado que gostava de cerveja artesanal e de correr, e um emprego como redatora técnica em uma empresa que estava na lista da Fortune 500.

Parecia que Livvie finalmente tinha se tornado uma adulta.

O que eles não sabiam era que eu era apenas uma estagiária e meu salário mal pagava as contas, que o prédio incendiado por mim era do tio de Eli, que nos cobrava o menor valor possível pelo aluguel, e que Eli e eu mal nos víamos durante a semana porque ele estava sempre viajando a trabalho.

Até que, em um belo dia, depois de ser promovido e parar de viajar a trabalho, ele percebeu que 1) não me amava mais e *não sabia se já tinha amado um dia* e 2) amava minha colega de trabalho mais que a própria vida.

— Na verdade, eu dei um pé na bunda do Eli porque as cartas dele eram ruins demais. Ele rimava "amor" com "calor". Dá pra acreditar nessa merda? — Coloquei os fones e balancei a cabeça. — Mas não conte isso para a mamãe, ela gostava dele. Vou nessa.

Saí do apartamento e me alonguei pelos longos cinco segundos da descida do elevador. Eu tinha me matriculado em aulas de barre fit em Chicago e cheguei a ir algumas vezes, então até que eu estava em forma. Ia dar tudo certo.

Só que não.

Corri por dois quarteirões — dois — até precisar parar e cobrir os olhos com as mãos. Eu estava ofegante e vendo estrelinhas, parecia que tinha acabado de correr uma maratona. Então percebi que estava parada bem na frente de uma Starbucks.

Oba.

Tirei o cabelo do olho e abri a porta; o cheiro de cafeína me atingiu em cheio, e eu já podia sentir o gosto do frapê cremoso quando o delicioso aroma de café me alcançou. Eu sabia que isso não estava exatamente nos planos da Nova Olivia, mas um café não ia me tirar tanto dos trilhos assim.

O lugar estava cheio de indivíduos da classe executiva e supermotivada de roupa social e prontos para vencer na vida. Levando em consideração meu histórico, eles não eram minha turma, mas talvez passassem a ser num futuro próximo. Entrei na fila e fiquei esperando atrás de dois homens de pinta corporativa, tentando absorver um pouco do sucesso deles por osmose enquanto eles discutiam sobre alguém chamado Teddy.

Mas só depois de ser atendida e fazer meu pedido é que a ficha caiu — ai, Jesus. Não tenho quase nada na minha conta. Eu estava dura por mais alguns dias, não devia estar comprando café por aí.

Também não devia estar me chamando de "adulta", mas isso era outra história.

— Ai, meu Deus. Eu esqueci minha carteira.

Não era mentira. Eu realmente não estava com a minha carteira, mas poderia fazer o pagamento pelo aplicativo do banco, então tecnicamente não teria sido um problema. Minhas bochechas ardiam enquanto eu tateava meu corpo como uma idiota e dizia para a barista sorridente:

— Me desculpa mesmo. Eu não percebi que não tinha pegado...

— Pode deixar. — Ela piscou e perguntou: — Qual o nome para o copo?

— Hum. Olivia. — Eu me senti muito emocionada ao dizer: — MeuDeusobrigadamuitobrigada.

Mudei de fila e aguardei chamarem meu nome. Fiquei ainda mais animada com esse recomeço; a sorte estava ao meu lado pela primeira vez. *Só podia* ser um sinal cósmico. Peguei o café, tirei o canudo do papel e dei um longo gole na bebida enviada pelo universo.

Que delícia.
Meu celular vibrou. Quando o puxei da barra do short, vi uma mensagem do meu amigo anônimo que eu achava que não era mais meu amigo desde a noite anterior.

Cara do Número Desconhecido: Pensei que tínhamos terminado, srta. Sem Querer.

Fiquei confusa até ver a mensagem de cima.
Pelo visto, eu tinha digitado várias letras e símbolos com a bunda.

Eu: Desculpe, foi sem querer.
Cara do Número Desconhecido: Aham, tá bom.

Eu dei risada e olhei para cima. O barista de rabo de cavalo arqueou uma sobrancelha, mas ninguém mais parecia estar olhando para mim. Eu digitei: Juro por Deus.

Cara do Número Desconhecido: Nesse caso, que bom. Porque nós NÃO VAMOS ficar de gracinha, né?
Eu: Isso.
Cara do Número Desconhecido: Tenha um bom dia, Sem Querer.
Eu: Você também, Número Desconhecido.
Cara do Número Desconhecido: kkljfhjdfshghgdhgh

Enfiei o celular de volta no short, sorrindo, e fui em direção à saída cantarolando "Walking On Sunshine", empolgada para chegar em casa e mandar mais currículos. Era uma manhã repleta de possibilidades e eu não ia desperdiçar nem um segundo sequer. Estava empurrando a porta quando ela abriu e minha cunhada, Dana, entrou com os dois filhos.

— Pessoal, oi! — Quase derrubei Kyle ao erguê-lo e girá-lo no ar. — O que vieram fazer aqui?

Eu o apertei e dei uma fungada em seu pescoço, onde ele ainda tinha cheirinho de bebê embora tivesse acabado de completar quatro anos. Dana sorria — o que não era surpresa; a esposa do meu irmão mais velho era um doce e estava sempre sorridente — e segurava Brady, que parecia ter saído diretamente de um comercial, com suas bochechas fofas e seu chapeuzinho amarelo.

— Nossa casa nova é logo ali — disse ela, trocando Brady de braço. — Will me contou que você estava de volta, mas eu disse que não podíamos encher o seu saco ainda.

— Que besteira, Dana — respondi enquanto Kyle ria e tentava alcançar meu canudo com a boca. — Vocês podem encher o meu saco o tempo todo. A única coisa boa de voltar para casa é estar perto desses carinhas de novo.

Ela riu.

— Não precisa dizer duas vezes. Quer ficar com os meninos hoje?

Eu sabia que tinha que procurar emprego, mas dois seres humanos em miniatura não atrapalhariam a minha habilidade de fazer isso. Eu acho.

— Estou dentro.

Ela franziu as sobrancelhas perfeitas.

— Era brincadeira, Liv.

— Nem pensar. Agora já está marcado. — Cheguei pertinho de Brady e instantaneamente fui atingida pela energia alegre que meus sobrinhos me traziam. — Por favor, diz que não estava zoando. Você não pode estar zoando com a minha cara!

— Tá falando sério?

Dei de ombros e fingi rosnar para Kyle, que tomava um gole do meu frapê. Ele soltou uma gargalhada contagiante e continuou a beber do meu copo.

— Eu ia procurar emprego hoje, mas isso pode esperar algumas horas. É só me dizer o que fazer e eles podem ficar com a titia Liv até a hora do almoço.
— Ah, caramba. Seria maravilhoso. — O rosto de Dana se iluminou. Ela colocou Brady no chão e segurou a mão dele. — Estão limpando o carpete agora de manhã, então tivemos que liberar o apartamento, mas eu tinha certeza de que eles ficariam entediados depois de vinte minutos andando por aí comigo.
— Viu só? Todo mundo sai ganhando. — Apontei com o queixo para a bolsa de fraldas que ela tinha no ombro. — Temos estoque suficiente para vários cocôs matinais?
— Temos.
— Bom, então é isso. Passe pra cá.

Dana comprou um café e então me deu um abraço de urso e, num piscar de olhos, estava tudo pronto. Ela foi embora praticamente saltitando, e nós fomos embora saltitando *de verdade* na direção oposta, rumo ao apartamento.

Só de estar com aqueles pestinhas tudo parecia melhorar. Ficamos uma hora brincando de Morto-Vivo (Brady apenas pulou o tempo todo sem entender as regras), depois subimos e descemos de elevador três vezes, gritando "Oi, vizinhos!" toda vez que as portas se abriam em um andar, e então passamos uns bons quarenta e cinco minutos soprando bolhas da sacada tentando mirar em alvos aleatórios.

Foi incrível.

Arrastei meu colchão inflável para a sala e construímos um forte entre o sofá e a mesa de centro virada de lado. Estávamos tão entretidos com nossas atividades — basicamente comer pipoca e cantar as músicas de *Moana* — que só percebi que alguém tinha chegado quando olhei pela fresta do forte e vi um par de sapatos chiques a cerca de trinta centímetros do meu nariz.

— Hum. Oi? — Botei a cabeça para fora do forte como uma tartaruga e olhei para cima.

É óbvio, Colin estava ali, olhando para mim com a cabeça inclinada como se estivesse tentando processar a cena à sua frente. Eu saí depressa do forte, com as bochechas queimando, e engoli em seco quando finalmente consegui me pôr de pé e vi que ele encarava minha antiga camiseta do ensino médio.

Sim, estou usando uma camiseta do terceirão, e daí? Soprei minha franja para tirar o cabelo dos olhos e tentei me lembrar de como formular frases, mas me atrapalhei porque era como se Colin fosse meu colega de apartamento... embora não fosse.

Este Colin estava vestindo um terno azul impecável, uma gravata xadrez e o tipo de sapato de couro que sempre me fazia desejar que meus pés achatados coubessem em saltos de bico fino. *Este* Colin estava usando uma camisa branca engomada e um par de óculos com armação de tartaruga que ficava perfeito no topo de seu nariz comprido.

O Colin colega-de-apartamento era atraente de um jeito irritante, mas o Colin homem-inteligente-de-negócios era simplesmente de dar água na boca.

Ele colocou as mãos nos bolsos.

— Não tenho palavras para expressar o meu alívio por saber que você não está sozinha aí dentro desse forte.

— Ha, ha. Muito engraçado. — Kyle saiu do forte seguido por Brady, que eu peguei no colo. — O que está fazendo aqui?

Ele arqueou a sobrancelha.

— Na minha casa? Está perguntando o que eu estou fazendo na minha casa?

Revirei os olhos.

— Você entendeu. Você não devia estar no trabalho?

Kyle foi até Colin e perguntou:

— Seu relógio é muito legal. Custou muitos dinheiros?

O rosto de Colin se iluminou e ele abriu um sorriso enorme e divertido, o que fez meu estômago revirar.

— Sim, custou *muitos* dinheiros.

— Eu queria um assim. — Kyle fez o beicinho que ele sempre fazia, olhando para cima com olhinhos pidões de cachorro perdido. — Ia ser maneiro.

Colin olhou para mim no mesmo instante.

— Sua tia Olivia te ensinou essa palavra?

— Não — respondi no mesmo instante em que Kyle dizia:

— Tia Liv disse que é a mesma coisa que legal.

Colin riu.

Meu celular vibrou com uma mensagem de Dana dizendo que havia chegado. Virei para os meninos e disse:

— A mamãe chegou. Vamos ver quem guarda tudo na mochila primeiro? Um, dois, três, JÁ!

Kyle saiu correndo para o escritório, e Brady o seguiu, risonho e confuso, enquanto eu catava os brinquedos da sala. Colin foi até a cozinha e tirou uma Tupperware da geladeira.

— São os filhos do Will?

— Aham. Kyle e Brady. — Comecei a espremer coisas na bolsa deles, completamente ciente de que o zíper não ia fechar. — Foi mal, falando nisso. Eu não sabia que você vinha almoçar em casa, senão teria avisado antes de trazer os dois para cá.

Uma grande mentira, óbvio. Mas fui educada, pelo menos.

— Sem problemas. Não vou ficar, só esqueci meu almoço e decidi vir andando até em casa para espairecer.

Dei uma olhada na imagem perfeita de Colin e me perguntei o que estaria se passando pela cabeça dele.

— Deu certo?

— Hã... — Ele tensionou a mandíbula e pegou as chaves de cima do balcão. — Não muito.

Minhas bochechas ficaram ainda mais quentes e meu impulso foi gritar *Foi mal, tá bom?,* mas me controlei e disse:

— Bom, vou torcer para que seu dia melhore.

Ele estreitou os olhos.

— Não vai torcer, não.

Eu finalmente relaxei a ponto de sorrir e respondi:
— Talvez eu torça, Beck. Nunca se sabe.

Cinco minutos depois, a agitação chegou ao fim e eu me vi sozinha em um apartamento silencioso. Eu havia começado a mandar currículos mais tarde do que o planejado, mas ia dar certo. Apesar de ser a minha cara colocar as responsabilidades de lado para me concentrar em algo divertido, essa situação era diferente.

Eu ainda estava focada no projeto da Nova Olivia.

O restante da semana colocou essa certeza à prova.

Consegui cinco — *cinco* — entrevistas de emprego, o que me deixou muito animada. Pelo visto eu ia arranjar um emprego antes mesmo de Eli perceber que eu tinha ido embora da cidade, e estaria devidamente empregada antes que minha mãe tivesse a chance de me interrogar sobre como andava a minha vida.

Caramba, eu provavelmente poderia escolher entre as propostas.

Certo?

Errado.

Porque em todas as entrevistas acabei falando pelos cotovelos.

Na primeira, mencionei o incêndio sem querer. Quando me perguntaram o motivo da minha mudança, minha boca foi mais rápida que meu cérebro e vomitou a verdade em vez de dizer os motivos genéricos que eu havia ensaiado.

O homem que me entrevistou, o sr. Holtings, olhou para mim por cima dos óculos e perguntou:

— Incêndio?

E, por alguma razão, tentar explicar a história me fez rir. Comecei a descrever o acontecido e não consegui conter o riso.

— Houve um... hã... um incêndio. O prédio onde eu morava pegou fogo. — Um riso pelo nariz.

E a cada frase lamentosa que saía da minha boca, eu percebia o quão ridículo tudo tinha sido e minha risada me fazia parecer completamente maluca. O que, óbvio, só me fez perder o controle e rir mais ainda.

— Não foi minha culpa, eu estava tomando cuidado. — Mordi o lábio para tentar conter a risada. — Mas o gambá apareceu do nada e derrubou o balde.

Tive que dar uma pausa para enxugar os olhos de tanto rir.

Com certeza eu não ia conseguir aquele emprego.

Na entrevista seguinte, mencionei o *Tribune* sem querer, então tentei voltar atrás e dizer que não tinha trabalhado lá.

— Calma, você trabalhou no *Chicago Tribune?* — A mulher muito simpática semicerrou os olhos. — Por que não colocou isso no currículo?

— Ah. É que... hum... Não trabalhei lá de verdade. — Sorri, meu cérebro teve um curto-circuito e eu ainda emendei: — Eu estava brincando.

Só uma dica: se você um dia conseguir um estágio em um grande veículo de comunicação, *nunca* engaje numa conversa com sua colega de trabalho sobre o vibrador dela, ainda que tenha sido ela a puxar o assunto e você só tenha dado corda por educação. Aparentemente, se alguém no refeitório ouvir a conversa e reportar ao RH, *vocês duas* serão demitidas, e ninguém vai querer saber quem é a dona do Trovão Violeta.

Mas, enfim, voltando ao assunto.

Eu estava dando um tiro no pé por não saber calar a boca. Eu sei que escrevo muito bem e seria uma ótima funcionária. Eu consigo me comunicar no papel.

Eu só precisava dar um jeito de passar pelas entrevistas antes.

Em outra entrevista, tropecei em uma cadeira e soltei um *ai, caralho* mais ou menos alto. Mas as duas últimas entrevistas correram relativamente bem. Não recebi nenhum retorno nem fiz amizade com os entrevistadores, mas o fato de eu não ter destruído minhas chances já foi um bom sinal. Espero.

A única coisa boa que aconteceu em meio a essas desventuras foram as mensagens trocadas com o Cara do Número Desconhecido. Ele mandou uma mensagem tirando sarro da que eu havia enviado por engano na Starbucks e então continuamos enviando mensagens todas as noites. Nada importante, só conversa fiada. A noite anterior não foi exceção.

Eu: O que vc acha que o primeiro cara que ordenhou uma vaca estava tentando fazer?
Cara do Número Desconhecido: Gozar de novo?
Eu: Eca, duvido que fosse isso. Mas será que ele ficou curioso, tipo, o que será que esse negócio faz? Ou será que ele viu um bezerro mamando e pensou: PERAÍ, MINHA VEZ?

Eu o imaginava sem camisa, encostado na cabeceira da cama lendo minhas mensagens com um sorriso, mas sabia que só nos meus sonhos o meu BFF desconhecido seria bombado.

Cara do Número Desconhecido: Talvez tenha sido uma aposta. Dois caras se desafiaram a tocar na teta e aí, pá, sai o leite.
Eu: Os Toca-Teta. Nome de banda. Pensei primeiro.
Cara do Número Desconhecido: É todo seu.
Eu: Aliás, tô interrompendo alguma coisa com meu leiterrogatório?
Cara do Número Desconhecido: Não. Estou sem sono, deitado na cama.
Eu: Não seja um esquisitão, por favor.
Cara do Número Desconhecido: Não sou esquisitão. Só estou deitado na cama, nu, praticando a arte de dar nós e ouvindo Robin Thicke.

Balancei a cabeça e deitei de bruços.

Eu: Isso aí foi uma esquisitice de nível máximo.
Cara do Número Desconhecido: Qual foi o problema? Os nós? A nudez? O Thicke?
Eu: O conjunto da obra. Me fez pensar em todas as coisas desagradáveis que se poderia amarrar. Com o Robin Thicke de trilha sonora.
Cara do Número Desconhecido: Fiquei amarradão.
Eu: Boa.
Cara do Número Desconhecido: Posso perguntar pq a dúvida sobre a ordenha, falando nisso?
Eu: Não consigo dormir, então às vezes, em vez de contar carneirinhos, fico voltando nas perguntas doidas que surgem na minha cabeça aleatoriamente.
Cara do Número Desconhecido: As coisas que surgem na minha cabeça são completamente insanas.
Eu: Como se eu já não soubesse.

E hoje, na última entrevista, o vento soprou a meu favor e as coisas correram muito bem. Glenda, editora do *Times,* foi muito simpática comigo e acabamos nos dando bem de verdade. Eu estava me comportando como um ser humano adulto e funcional, e ela era muito divertida. Não poderia ter sido melhor.

Até que.

Ela disse:

— Estamos procurando alguém autêntico para a coluna sobre parentalidade, alguém com um ponto de vista original, que consiga abordar esse assunto de uma forma que faça nossos leitores rirem ou chorarem.

Eu sorria e assentia, mas minha cabeça estava a mil. Parentalidade? Mas que porra era aquela? Eu havia me candidatado para uma vaga no blog de entretenimento, não para uma coluna sobre parentalidade. Até cheguei a ver o anúncio para essa vaga, mas não me candidatei porque — surpresa! — não sou mãe. A ideia de parir uma pessoinha e ser responsável por ela me fazia ter pesadelos, literalmente.

Dá pra imaginar?

Eu com certeza derrubaria a criança num lago de jacarés durante uma visita ao zoológico, ou talvez tropeçasse e caísse em cima dela, porque tropeçar era comigo mesmo. Se houvesse um jeito de destruir sem querer meu humaninho, garanto que eu encontraria.

Glenda disse:

— Eu li alguns dos seus textos no ohbabybaby.com, e aquilo é exatamente o que estamos procurando. O ponto de vista humorístico enquanto aborda temas importantes de parentalidade é mais ou menos a *vibe* que queremos.

— Ótimo.

— Seu artigo sobre os looks do bebê Kardashian me fez rolar de rir.

Sorri. Aquele texto era um dos meus favoritos.

Eu tinha começado a escrever artigos para o OhBabyBaby como uma alternativa ao meu emprego chatíssimo como redatora técnica, e porque não era barato morar em Chicago. O público-alvo do site eram pessoas com filhos, mas, na real, não era um site sobre parentalidade. Meus artigos analisavam quais celebridades ficaram mais bonitas durante a gravidez, falavam sobre crianças com os melhores looks, projetos inspirados no Pinterest que deram errado e, é óbvio, sobre os chás de revelação mais constrangedores.

Será que foi por isso que ela achou que eu tinha interesse na vaga para a coluna sobre parentalidade? Será que alguém tinha lido meu currículo e mandado para Glenda por engano por causa do OhBabyBaby? Quando abri a boca para explicar tudo, ela me interrompeu:

— Por falar nisso, quantos anos têm seus filhos?

Eu gelei. Travei. Cocei a sobrancelha.

— Dois. Hum. Dois e quatro — respondi sem pensar, e imediatamente senti vontade de me dar um tapa.

O rosto dela se iluminou.

— Os meus têm dois e cinco! Meninos ou meninas?

Senti o suor brotar em minhas axilas e pensei nos meus sobrinhos.

— Dois meninos.

— Eu tenho duas meninas.

Ela abriu um sorriso enorme e eu quis morrer. Eu era uma grande mentirosa e não merecia a simpatia daquela mulher.

— Todo mundo diz pra eu ir me preparando para os anos do ensino médio — continuou ela.

Eu encolhi os ombros e pensei nos meninos outra vez. Não era uma mentira tão grave, já que não inventei as crianças, certo? Visualizei Kyle e Brady novamente.

— Os meus estão acabando comigo. Só Deus sabe se vou conseguir chegar até lá. Não aguento mais ver *Patrulha Canina*.

— Nem eu! — Ela balançava a cabeça. — Fala sério. Que tipo de cidade confia num adolescente para resolver seus problemas?

— Uma cidade idiota cujo prefeito tem uma galinha de estimação. Isso por si só devia ser considerado um alerta vermelho.

Seguimos numa conversa fiada sobre nossos filhos — *alguém me mate* — por mais alguns minutos e depois a entrevista terminou. Ela me deu um aperto de mão e disse que entraria em contato. Senti vontade de chorar na descida do elevador até o saguão.

Porque eu queria aquele emprego.

Eu não era mãe e não sabia nada sobre ser mãe, mas eu queria tanto aquele emprego... E não só porque eu precisava trabalhar com urgência, mas eu *queria* trabalhar com Glenda. *Queria* escrever artigos com toques de humor sobre parentalidade, com uma pitada de sarcasmo, mas fofos. Meu lado criativo estava formigando, porque eu sabia que arrasaria naquele emprego.

Ah, se eu tivesse filhos!

Andei devagar para o apartamento, cambaleando nos sapatos de salto vagabundos que usei na volta às aulas do meu segundo ano. Tentei manter a positividade no caminho para casa; ainda tinham coisas legais acontecendo na minha vida. Eu acho.

Eu estava morando bem no centro da cidade, o que era minha coisa favorita no mundo. Num apartamento incrível, ainda por cima, ainda que fosse *com meu irmão* e eu tivesse que dormir em um colchão inflável.

As coisas poderiam estar *muito* piores.

Cara, eu poderia estar morando com meus pais.

E eu estava conseguindo acordar cedo para correr todos os dias; para mim, isso era uma grande vitória. Embora ofegasse como um buldogue francês e tivesse que parar a cada três quarteirões, estava mantendo essa nova rotina havia uma semana.

O fato de Colin estar em Boston a trabalho também ajudava. Se ele estivesse em casa, eu provavelmente teria desistido de correr porque não queria ser parceira de corrida dele nem aqui, nem na China. Mas já que eu não precisava lidar com a presença dele, estava saindo para correr sem me estressar.

Além disso, eu entrava escondida no quarto dele todos os dias para cochilar naquela cama extremamente confortável, então estava mais disposta do que nunca. Era meio sacanagem da minha parte usar a cama dele sem pedir, eu sei, mas o colchão inflável estava acabando com a minha lombar e eu sempre deixava a cama arrumada.

O que os olhos não veem, o coração não sente, não é?

Meu celular vibrou no bolso da saia que eu usei na feira de profissões do terceiro ano.

Cara do Número Desconhecido: Tenho um tempinho livre e estou entediado. Manda uma pergunta mirabolante aí.

Levantei os olhos do celular e fui para a direita, parando em frente a uma loja fechada para poder digitar sem acabar no meio da rua ou esbarrar nos outros pedestres. Respondi: Estou ocupada. Acha que consigo pensar nessas pérolas assim, do nada?

Cara do Número Desconhecido: É exatamente o que eu acho.

A mensagem me fez sorrir. Era bizarro como eu meio que me sentia *compreendida* por ele, embora fôssemos dois estranhos.
Coloquei meus óculos de sol na cabeça e comecei a responder: Beleza. Você acha que uma pessoa inteligente que nunca fez uma DETERMINADA COISA conseguiria dar bons conselhos sobre essa DETERMINADA COISA se estudasse e se informasse sobre o assunto?

Cara do Número Desconhecido: Primeiro, essa foi chatinha. Segundo, você tá perguntando pra uma amiga, né?
Eu: Isso.
Cara do Número Desconhecido: Tá bom. Vamos lá. Acho que depende. Se você estiver falando sobre neurocirurgia — por tudo o que é mais sagrado, não. Mas se estamos falando de algo mais abstrato, tipo conselhos amorosos, então, sim, acho que dá pra dar um jeito.

Parentalidade era uma coisa meio abstrata, não?

Eu: Beleza. Obrigada. Agora vou te dar o que vc realmente quer.
Cara do Número Desconhecido: Opa!
Eu: Eca.

Cara do Número Desconhecido: E aí?
Eu: Em quantos garotos da quinta série você conseguiria bater numa briga? Sem usar nenhuma arma ou acessório.
Cara do Número Desconhecido: E se meus músculos forem considerados armas?
Eu: Vou fingir que não li isso.
Cara do Número Desconhecido: Hummm. Acho que... doze.
Eu: Ah, tá ZOANDO.
Cara do Número Desconhecido: Acha que é pouco?
Eu: Sua resposta me faz pensar que vc não sabe como é estar perto de garotinhos. Eu diria no máximo seis, porque você só tem duas mãos. Então seriam três crianças por mão.
Cara do Número Desconhecido: Mas você está esquecendo das pernas.
Eu: As pernas servem para segurar eles, não para bater. Você só pode vencer com as mãos.
Cara do Número Desconhecido: Você obviamente não malha perna na academia.
Eu: Preciso ir. Estou literalmente parada no meio da calçada mandando mensagem, tipo uma adolescente.
Cara do Número Desconhecido: Porra, eu nunca perguntei. Vc não é adolescente, né???
Eu: Relaxa, eu tenho 25. Vc... tb não é criança, né?
Cara do Número Desconhecido: Vinte e nove. Tudo em ordem.
Eu: Mas a gente não tá trocando nudes nem nada, então tecnicamente não teria problema se um de nós dois fosse menor de idade.
Cara do Número Desconhecido: ... enviando foto do pau...

Eu: Vai levar um *block* instantâneo. A menos que vc tenha... algo muito especial. Aí vc vai levar block mesmo assim, mas vai ser tipo um *ghosting*.
Cara do Número Desconhecido: Vou me comportar.
Eu: Graças a Deus. Pq, na real, eu odiaria ter que te bloquear. Que esquisito, né?
Cara do Número Desconhecido: Eu tbm odiaria. E sim, muito esquisito.
Eu: Enfim. Até mais tarde, Número Desconhecido.
Cara do Número Desconhecido: Até, srta. Sem Querer. Mas, só pra constar, eu entenderia total o *ghosting*.

— Se segura bem, senão você cai.
— Tá bom. — Kyle passou os braços em volta do meu pescoço, me abraçou apertado e gritou: — Vai, cavalinho!
Saí engatinhando pelo piso laminado do apartamento com ele nas costas imitando um cavalo. Brady olhava distraidamente para a TV enquanto meu irmão mais velho, Will, tentava calçar os sapatinhos nele.
— Por que você topa brincar disso? — perguntou Jack do sofá, com uma careta. — Ele é grande demais para isso.
Eu engatinhei mais rápido e Kyle deu uma gargalhada.
— Por causa *disso*. A titia Liv é a tia favorita e eu vou fazer de tudo para que isso nunca mude.
— Quando ele tiver idade suficiente para saber o que é ser descolado, o tio Jack vai ser o maioral.
— Você *nunca* cuidou dos meninos. — Will pegou Brady e o jogou no ombro como um saco de batatas enquanto lançava um olhar para Jack. — Nem uma vez. Mas Liv já ficou de babá até quando não morava aqui.
Jack revirou os olhos.
— Até parece que você toparia ficar de babá se fosse solteiro.

Me joguei no chão e fingi que estava me empinando nas patas de trás, fazendo Kyle rir descontroladamente.

Will deu um sorriso e lançou um olhar de pena para Jack.

— Tem razão. Eu não curto ser babá nem agora, e os filhos são meus.

Eu me sentei, tentando me desvencilhar das tentativas de Kyle de voltar a subir nas minhas costas.

— Vocês são malucos. Eu ficaria com os meninos por meses se pudesse.

— Não enquanto você morar aqui. — Jack apontou para mim com a garrafa de cerveja Lone Star. — Hoje foi exceção porque Colin está fora da cidade.

Eu e Will nos entreolhamos, porque eu já tinha aceitado cuidar dos meninos para que ele e Dana pudessem ter uma noite romântica. Enquanto Will conduzia as crianças em direção à porta, perguntei:

— Falando em Colin, o que ele faz da vida? Do jeito que estava vestido na semana passada ele parecia... sei lá, importante. Bem homem de negócios. Pensei que ele fosse vendedor, ou algo assim.

— Como você viaja — zombou Will, e eu respondi com o dedo do meio.

Ele apontou para os filhos, fingindo estar chocado.

— Meu Deus, Livvie, as crianças.

— Se não parar de ser idiota vou ensinar coisa pior para eles. — Revirei os olhos e fiquei de pé. — Então o que é que o Colin faz?

— Ah, hum... acho que o cargo dele é tipo analista financeiro sênior, um negócio desses.

Tentei imaginar o que seria isso.

— Sério?

— Sério. — Jack estava arrancando o rótulo da cerveja. — Isso faz com que ele tenha uma puta vantagem no Fantasy Football, o que me irrita muito.

Fui até a porta para dar um beijo de despedida nos meninos, mas olhei por sobre o ombro para Jack e disse:

— Não acredito que ele trabalha com *finanças*.

Eu meio que já sabia que Colin seria ótimo no trabalho dele, qualquer que fosse, mas achava que ele era um corretor de imóveis ou algo tão pretensioso quanto, tipo vendedor de carros esportivos.

— Está surpresa? — Jack se levantou e deixou a garrafa na mesa. — Ele tem mestrado em matemática e tirou nota máxima no vestibular.

— *Sério?* — Não que Colin parecesse ser um cabeça de vento, mas também não parecia ser o tipo contador estudioso. A estrutura óssea dele era boa demais para esse nível de seriedade. — Eu não fazia ideia.

— Óbvio, você sempre esperou o pior dele.

— Que mentira.

— Fala sério. Ele sempre zoou você e você nunca aguentou, por isso decidiu que ele era o diabo em pessoa.

— Mas você tem que admitir que ele é tão presunçoso quanto o próprio Lúcifer.

— Que nada — disse Will, colocando a bolsa dos meninos nos ombros. — É só a autoconfiança de gente rica. A arrogância de quem nasce em berço de ouro.

— Pode ser.

Sempre que Colin nos visitava, minha mãe o tratava como um príncipe. Segundo ela, todos na família dele eram advogados importantes. Avós, pais, tios, tias; todos trabalhavam na Beck & Beck, o escritório de advocacia mais tradicional e renomado da cidade.

— Nada a ver. — Jack trouxe o cachorrinho de pelúcia da *Patrulha Canina* até a porta, onde estávamos. — A família dele tem muita grana, mas Colin e a irmã dele não são arrogantes que nem os outros.

— Peraí, Colin tem uma irmã?

Como eu não sabia disso? Eu me lembrava de Jack contando uma história superdramática quando estávamos no ensino médio sobre o pai de Colin ter tido um caso com uma assistente e depois ficado puto porque a esposa ficou chateada com a traição. Jack disse que o cara era tão cheio de si que perdia a cabeça quando alguém ousava discordar dele.

Eu tinha achado aquela história fascinante, porque parecia ter saído de uma das novelas que minha mãe costumava assistir. Jack dizia que o pai de Colin era um babaca que botava defeito em tudo o que o filho fazia, mas eu não me lembrava de nada sobre uma irmã. Sempre tinha imaginado Colin sozinho em meio a todo o drama.

— Ele faz muito o tipo Filho Único Mimado.

— Tá vendo? Sempre pensando o pior.

— Que seja. Venha aqui, Kyle.

Eu me ajoelhei e fiz um barulhinho de pum no pescoço dele, o que o fez explodir em gargalhadas. Ele me abraçou apertado e não queria me soltar, então acabei descendo com eles até o carro de Will, porque eu também não estava pronta para me despedir.

De repente, percebi que estava feliz por não morar mais a oitocentos quilômetros de distância.

Eles já tinham ido embora quando senti o celular vibrando no meu bolso. Ignorei a notificação e entrei no elevador. Eu tinha decidido não interagir com o Cara do Número Desconhecido até ter terminado de fazer tudo da minha lista. Ainda precisava tomar banho (não era uma grande tarefa, mas uma muito necessária), mandar e-mails de agradecimento pelas entrevistas em que fui mal e encontrar mais dez vagas para me inscrever no dia seguinte.

Depois disso, eu me permitiria brincar com o meu amiguinho anônimo.

Que, aparentemente, eu teria que dar *ghosting* aos poucos.

Caramba. Preciso muito parar de pensar nele.

• • •

Fiz tudo correndo e finalmente estava livre para me divertir um pouco com o Cara do Número Desconhecido. Me joguei no colchão inflável, me sentindo animada de uma forma patética, e abri o aplicativo de mensagens.

E — *sim* — lá estava uma mensagem dele, recebida trinta minutos antes.

Cara do Número Desconhecido: Hora de brincar.

Senti um frio na barriga ao me acomodar na cama e digitar: Do que você quer brincar?

Cara do Número Desconhecido: Uma pergunta capciosa da senhorita.

Eu sabia que ele era um babaca, e ainda assim eu estava com segundas intenções.

Eu: Que tal vinte perguntas?
Cara do Número Desconhecido: Pensei que a gente tinha decidido ficar no anonimato.
Eu: Verdade. Que tal, então... vinte perguntas sobre coisas que gostamos?
Cara do Número Desconhecido: Coisas sexuais?

Uau.
Olhei para a tela sem saber como responder.

Eu: Passaria um pouco do limite, não?
Cara do Número Desconhecido: Um pouco, mas também seria divertido.
Eu: Ok, vamos seguir um ponto de vista pragmático, então.
Cara do Número Desconhecido: O que isso quer dizer?

Eu: Sei lá. Tipo, falar sobre sexo sem grandes intimidades.
Cara do Número Desconhecido: Tipo duas pessoas casadas há um tempão?
Eu: Não, tipo pesquisadores analisando dados.
Cara do Número Desconhecido: Permissão para solicitar um exemplo.
Eu: Permissão concedida.

Olhei para o teto com um sorriso no rosto, tentando pensar em alguma coisa. Então respondi: Exemplo de pergunta: Qual a sua posição favorita? Exemplo de resposta: Papai e mamãe.

Cara do Número Desconhecido: Espero que essa resposta sem graça não seja sua resposta verdadeira.
Eu: Não posso responder antes de o jogo começar.
Cara do Número Desconhecido: Vamos lá, então.
Eu: Peraí. Se vc for um cara realmente esquisito, que frequenta fóruns ou que tem um quarto do sexo na sua casa, sabe, eu gostaria de me retirar desse jogo. Com respeito, óbvio. Sem julgamentos, só estaríamos em níveis diferentes.
Cara do Número Desconhecido: E se for um quartinho do sexo?
Eu: Quartinho do Sexo. Nome de banda. Falei primeiro.
Cara do Número Desconhecido: Primeira pergunta: qual é a sua posição favorita?
Eu: Gosto de ficar por cima.
Cara do Número Desconhecido: Do jeito tradicional ou fazendo a *cowgirl* invertida?

Isso me fez rir muito alto. Rolei para ficar de bruços.

Eu: Que merda é essa? Antes de mais nada, quem dá nomes pras posições sexuais? Adolescentes? Tem que ser,

porque esses nomes são muito idiotas. A menos que seja obrigatório usar um chapéu de vaqueiro, aí acho perfeitamente apropriado. Em segundo lugar, se uma mulher um dia disser que "*cowgirl* invertida" é a posição favorita dela, vai ser mentira. O ângulo é todo errado, e quem quer se equilibrar em joelhos ossudos?
Cara do Número Desconhecido: Isso foi bem específico. Tá tudo bem?
Eu: Tá, sua vez. Primeira pergunta: qual é a sua posição favorita?
Cara do Número Desconhecido: Eu gosto do combo papai e mamãe + por trás.
Eu: Não sabia que a gente podia escolher um combo. E vc não disse que papai e mamãe era sem graça?
Cara do Número Desconhecido: Sem graça pra vc. Mas eu sou muito bom nisso.

Revirei os olhos e larguei o celular. Qual era o meu problema? Por que estava tão cheia de risinhos conversando com um estranho? Eu já tinha visto todos os episódios de *Catfish* na MTV, sabia como essas coisas funcionavam.

E mesmo assim eu estava apegada ao meu amigo anônimo.

A única coisa sensata nisso tudo era que eu queria que esse cara continuasse anônimo. Eu não estava planejando conhecê-lo na vida real; isso estragaria o que quer que estivesse deixando aquilo tão legal.

Então não tinha problema me divertir um pouco.

Abri a porta e fui pegar água na cozinha. Precisava esfriar um pouco a cabeça ou acabaria mandando nudes para um estranho, como uma adolescente irresponsável. Assim que abri a geladeira, Colin saiu de seu quarto.

Jesus amado.

Ele estava sem camisa, exibindo a barriga trincada e usando uma boxer preta que evidenciava os músculos de suas coxas. Senti um calor subir pelo meu peito e queimar minhas bochechas e me esforcei para não desviar meu olhar do seu rosto.

Não olhe para baixo, não olhe para baixo, não olhe para baixo.

— Oi. — Era difícil falar com a boca tão seca. — Não sabia que você já tinha voltado.

— Aqui estou. — Ele se aproximou, completamente seguro de si mesmo seminu. Parecia menos sarcástico do que o normal, mais agradável de certa forma, ao me dar um sorriso de canto. — Aparentemente a noite está quente para todo mundo.

Sim. Quente.

E sem muitas roupas.

Pigarrei e peguei duas garrafas de água.

— Com certeza.

Entreguei uma para ele, que agradeceu com a voz um pouco rouca:

— Obrigado.

Acho que consegui dizer *boar-noitch* ou quase isso.

Quando voltei para o celular, li a mensagem do Número Desconhecido com um risinho:

Cara do Número Desconhecido: Última pergunta da noite. Devagar e sempre ou veloz e furioso?

Eu provavelmente poderia ter dado uma resposta mais eloquente e sexy, mas não consegui evitar ser direta:

Eu: Veloz e furioso. Sempre.
Cara do Número Desconhecido: Então vc não curte uns lances tântricos intermináveis que envolvem óleo quente e Enya de trilha sonora?

Caramba. Mordi o lábio e voltei a me perguntar por que eu estava trocando mensagens sexuais com um estranho. Depois respondi:

Eu: Vou querer o combo sexo contra a parede + arranhões nas costas + mordidas nos ombros para viagem, por favor.
Cara do Número Desconhecido: Sabia que vc era inteligente, Sem Querer. Tenha bons sonhos!

Virei de barriga para cima sem entender quando nossa conversa tinha ficado tão sensual.

Eu: Como se eu fosse conseguir dormir agora, seu idiota. Boa noite.

Olivia

Reli o final da coluna em voz alta.

A parte mágica de ser mãe de menino é que, por alguma razão, é impossível não ser doida por eles apesar das oscilações bruscas entre amor e ódio que fazem parte do pacote. Num minuto eles colocam você num pedestal, tecendo mil e um elogios sobre como seu cabelo é igualzinho ao de uma princesa de verdade, e no minuto seguinte você é informada, com uma careta, de que tem "bafo de chulé". Num segundo estão aninhados no seu colo e no outro, puxando você para o banheiro para mostrar o tamanho do cocô que fizeram.

Acho que isso explica o fenômeno dos homens que acham divertido soltar gases debaixo do cobertor e manter a parceira presa sob o tecido. Os adoráveis meninos se tornam homens e encontram parceiras que, como suas mães, os amam o suficiente para não os matar — apesar de tudo.

Acho que meu parceiro não teria tanta sorte.

Salvei o artigo e o anexei ao e-mail, nervosa e empolgada ao mesmo tempo. Abri minha caixa de e-mail assim que acordei e encontrei uma mensagem de Glenda, me pedindo para escrever um breve rascunho para a coluna sobre parentalidade. Pelo visto, o teste seria um desempate com outra candidata, e Glenda esperava que eu arrasasse no meu texto.

Imagina só a pressão.

— Bom, lá vai — murmurei, depois cliquei em "Enviar" e olhei ao redor do meu quarto-escritório como se não soubesse onde estava.

Já eram 12h25 e parecia que eu tinha acabado de acordar.

Abri a porta e o apartamento estava silencioso, então fui para a sala de estar escorregando com as meias no chão de madeira.

Cara, aqueles dois tinham um apartamento *tão* incrível.

Eu não fazia ideia de como Jack conseguia bancar aquilo, mesmo dividindo com alguém. Colin, por sua vez... O apartamento na verdade era a cara dele, com seu emprego chique e sua aparência irritantemente despojada. Quando vi *Amor a Toda Prova* no ensino médio, tive certeza de que Colin era um irmão perdido de Jacob Palmer, personagem do Ryan Gosling. Mesmo comportamento, mesmo estilo impecável, mesma arrogância.

Meu estômago roncou, então fui para a cozinha. Ainda não tinha ido ao mercado, então eu precisaria repor tudo o que comesse. Dei uma olhada nos armários e vi que não tinha nada apetitoso que valesse o roubo. Na despensa só havia vegetais supersaudáveis em lata (obviamente de Colin) ou picles e presunto enlatado já vencidos (obviamente de meu irmão).

Estava prestes a desistir e ir até o mercadinho mais próximo para comprar um miojo, mas decidi verificar o congelador antes. *A-há!* Ali tinha meio quilo de carne moída que ficaria deliciosa com umas latas de tomate pelado que eu tinha visto na despensa.

Comecei a abrir e a fechar armários em uma busca frenética; eu só precisava de alguns ingredientes básicos para fazer a receita especial de macarronada com almôndegas da minha vó. Se conseguisse encontrar os itens certos, ou no mínimo parecidos, poderia fazer uma coisa legal e deixar o jantar pronto para quando meus colegas de apartamento voltassem para casa. Além disso, eu poderia surrupiar umas almôndegas ao longo do dia para não morrer de fome.

Todo mundo sairia ganhando.

— Oba!

Encontrei um pacote de biscoito de água e sal e tinha um ovo na geladeira, então eu estava com sorte. Alho picadinho, cebola em pó... sim, daria para o gasto. Eu teria que ir ao mercado para comprar a massa, mas tudo bem, eu precisava comprar outras coisas mesmo. Não tinha muito dinheiro, mas não podia continuar usando amostras de maquiagem no shopping antes das minhas entrevistas. A moça da Sephora provavelmente chamaria a polícia se eu não comprasse meu próprio rímel logo.

Peguei uma assadeira e comecei a enrolar as almôndegas, mas, enquanto as moldava, pensamentos intrusivos começaram a surgir. Percebi que, se Glenda me oferecesse a vaga, eu não poderia aceitar.

Não poderia.

Por mais que eu precisasse daquele emprego e estivesse desesperada, não conseguiria aceitar a vaga sabendo que precisaria mentir para ela todo santo dia. Estive mentindo como uma foragida desde que cheguei e só Deus sabe por que, mas aquela não era eu e isso não podia continuar.

Além disso, Omaha era uma daquelas cidades pequenas em que todo mundo é vizinho do primo de alguém, então seria impossível escrever aquela coluna sem que *alguém* percebesse que uma adulta solteira, sem filhos e completamente biruta das ideias estava falando sobre parentalidade.

Não. Glenda descobriria a verdade rapidinho.

Coloquei as almôndegas no forno e comecei a preparar o molho, tentando afastar meu pessimismo e prestar atenção na comida. Abri as latas e joguei tudo na panela brilhante que provavelmente tinha custado uma fortuna. Bom, tinha um nome francês que eu não sabia pronunciar, então só podia ser coisa chique. Eu acho.

Usei um fouet para desmanchar os tomates, liguei o fogão gourmet em temperatura alta (ainda bem que era por indução, já que fogo havia me deixado traumatizada) e comecei a vasculhar os armários atrás de um escorredor de macarrão. Encontrei numa gaveta funda um escorredor prateado e muito lustroso nunca usado ou que tinha sido polido por um robô. Dava para ver meu próprio reflexo nele.

E também vi pelo reflexo quando o molho começou a borbulhar atrás de mim.

Droga.

Voltei correndo/deslizando com as meias e tirei a panela do fogo bem no momento em que o molho vermelho transbordou por toda a superfície do fogão. Revirei as gavetas, achei uma colher grande de metal e, ao começar a mexer, soltei sem querer o escorredor que estava debaixo do meu braço no chão.

E *é óbvio* que acabou amassando de um lado. Revirei os olhos e o empurrei para o lado com o pé. Por isso sempre comprei escorredores baratos de plástico, esses são inquebráveis. O escorredor brilhante, por outro lado, parecia ter sido arremessado de um carro em movimento.

Fui até o quarto enquanto as almôndegas terminavam de assar e coloquei as calças jogger pretas que usei quase todos os dias durante meu último ano do ensino médio e uma camiseta cor-de-rosa com capuz. Eu não me lembrava de frequentar a Victoria's Secret na minha adolescência, mas eu tinha camisetas da marca em todas as cores.

Calcei meu All Star cinza e voltei para a cozinha. Mexi o molho e tirei as almôndegas do forno, que cheiravam maravilhosamente bem. Elas foram direto para a panela. O molho ainda precisava ficar um bom tempo engrossando, então eu só precisava dar um pulo no mercado e voltar a tempo de limpar tudo antes de os meninos chegarem.

É óbvio que, pensando no meu histórico recente, cheguei umas cinco vezes se o fogão estava desligado antes de pegar a bolsa e as chaves. Ainda não era nem uma da tarde e eles só chegavam às cinco.

Eu tinha tempo de sobra.

— Meu Deus, Livvie?

Eu olhei para trás na fila do caixa e dei de cara com Sara Mills, uma das minhas amigas do ensino médio. Ela continuava linda, mas agora ostentava um afro que a deixava *exuberante* nível modelo de passarela.

— Ai, meu Deus, Sara! Como você está?

Sara era amiga da amiga da minha melhor amiga, ou seja, a gente passava muito tempo juntas na escola, mas sempre em grupo. Compartilhamos muitos bons momentos, mas perdemos completamente o contato depois da formatura.

— Tá tudo bem — respondeu ela, com um sorriso. — Estou morando na região oeste de Omaha. Me casei com Trae Billings e temos uma filhinha de seis meses.

— Mentira! — Me aproximei para abraçá-la e derrubei uma caixa de biscoitos com a bolsa. — Parabéns!

Ela riu e me abraçou de volta.

— A mesma Liv de sempre.

Assenti e peguei a caixa do chão.

— Infelizmente.

Ela pressionou a boca e disse:

— Pois é. Eu fiquei sabendo sobre o incêndio.

— Sério? — Arrumei a alça da bolsa no ombro. — Pelo amor de Deus, foi só há uns dias atrás. As notícias voam.

Ela fez uma careta.

— Bom, você meio que viralizou.

— Parece que aquela profecia do último ano se tornou realidade, hein?

Sim, eu fui a mais votada como a Pessoa Com Mais Chance de Acabar Viralizando.

Ela deu risada, e eu percebi que sentia muita falta de ter amigos. Em Chicago eu tinha Eli e alguns colegas de trabalho, mas não fiz amigas de verdade desde que saí da faculdade, a provável razão de eu quase ter dado pulinhos de alegria quando ela sugeriu:

— Você tem um tempinho pra gente tomar um café? Eu adoraria bater um papo.

Ficamos conversando enquanto o caixa passava as compras dela (coisas de adulto: leite, pão, legumes) e depois as minhas: miojo, biscoito recheado, absorventes de uma marca genérica, espaguete e Coca Diet.

Meu celular vibrou, e fiquei decepcionada quando vi que era minha mãe e não meu amigo anônimo. *Seu pai precisa de ajuda com umas coisas no quintal, se quiser ganhar um dinheirinho extra.*

Olhei para cima morrendo de vergonha, ainda que ninguém na fila do caixa conseguisse ler a mensagem. Ela estava falando sério? "Ajuda no quintal"? Tipo cortar a grama e aparar os arbustos para ganhar umas moedas do meu papai? Meus pais estavam me tratando como se eu tivesse voltado a ter catorze anos.

E eu sabia que isso não deveria me incomodar, mas incomodava.

Porque — que merda — eles tinham razão? Paguei as compras com o dinheiro que ganhei de meus pais, o que era extremamente irônico e patético na mesma medida.

Eu preciso da porra de um emprego.

Fui com Sara até um café perto dali e nos sentamos em uma mesa na área externa. Com as sacolas no chão e o sol do fim de tarde em nosso rosto, eu e ela rimos até chorar enquanto eu contava sobre o desastre em Chicago e o incêndio que veio em seguida.

— Você descobriu que ele estava te traindo no dia em que foi demitida? E seu apartamento pegou fogo *na mesma noite?* Caramba! — Ela estava rindo, mas era uma risada agradável. Era nítido que ela estava horrorizada, e não entretida, com a minha constante má sorte. — A gente deveria estar num bar, isso sim, não em um café.

Não sei como, mas a conversa acabou chegando na minha situação habitacional, e ela quase pirou quando eu contei quem era o colega de apartamento de Jack.

— Mulher. Então quer dizer que você está morando com Colin Beck?

Assenti.

— Colin Beck. Quem diria. Ele ainda é gostoso?

— Está mais gostoso ainda, na verdade.

— Que babaca.

— Né?

— Sempre achei que ele parecia com o Ryan Gos...

— Ele é idêntico.

Ela sorriu e se recostou na cadeira.

— Parece que sua sorte está mudando.

— Nossa, não. — Tomei um gole do meu *latte* e brinquei com a espuma na boca antes de engolir. — Ele ainda é um cuzão. E me olha como se achasse que é melhor do que eu.

— Sério? Ele é assim? — Sara ajeitou os óculos de sol no nariz. — Sempre achei Colin meio tenso, como se estivesse sempre com muita coisa na cabeça. Ele não gabaritou o vestibular?

— Todo mundo sabia que ele era inteligente, menos eu?

— Parece que sim. — Ela arrastou a cadeira e se levantou. — Vou dar um pulo no banheiro. Já volto.

Enquanto Sara se levantava, meu celular vibrou em cima da mesa. Esperei até que ela se afastasse para checar a notificação.

Cara do Número Desconhecido: Estou numa reunião com uma mulher há 35 min e ela não faz ideia que está com um pedacinho de pera no queixo.

Eu: Como você sabe que é pera?
Cara do Número Desconhecido: Pela cor e pela consistência.
Eu: Pode ser algo mais nojento. Ela pode ter vomitado o almoço antes da reunião e o restinho ficou no queixo.
Cara do Número Desconhecido: Vou fingir que não li isso. Mas agora, falando sério, o que eu faço? Aviso?

Eu dei risada e digitei: Agora você NÃO PODE falar nada. Tarde demais.

Cara do Número Desconhecido: Mas tô muito incomodado. Não consigo me concentrar em nada que não seja a pera.
Eu: Vc quis dizer o restinho de vômito.
Cara do Número Desconhecido: Valeu pela ajuda.

— Que sorrisinho é esse?
Fiquei vermelha e olhei para Sara, que tinha voltado a se sentar e me encarava com um sorriso sugestivo.
— Ai, que bom. Até que enfim alguém para falar sobre isso.
Contei tudo sobre o Cara do Número Desconhecido: como começou, nosso pacto de anonimato e a frequência das nossas conversas.
— Essa é a coisa mais engraçada que eu já ouvi. Queria saber como ele é. — Ela agora tinha um grande sorriso estampado no rosto.
— Pois é. Tipo, eu não tenho interesse nenhum em saber quem ele é, mas é legal ficar imaginando.
— "Imaginando", uma ova. Você quis dizer "fantasiando".
Dei de ombros.
— Mesma coisa.
— Mas é melhor tomar cuidado, Rainha do Azar. Considerando sua falta de sorte e o fato de que a internet é uma terra de

ninguém, se bobear daqui a pouco aparece um *stalker* esquisito invadindo sua casa para roubar suas calcinhas.

Meu celular tocou e eu reconheci o número; era Glenda.

— Ai, meu Deus... preciso atender. Eu me candidatei pra uma vaga e agora...

— Não se preocupe — disse Sara, ficando de pé. — Preciso ir para casa mesmo. Vê se me liga para a gente marcar um almoço, hein?

Eu acenei enquanto ela pegava as sacolas do mercado, depois atendi a chamada, nervosa:

— Alô?

— Oi, Olivia, é a Glenda. Tudo bem?

Fiquei com dor de barriga só de ouvir a voz dela.

— Tudo ótimo, e com você?

— Tudo bem. Essa não vai ser uma ligação fácil porque acabei de sair de uma reunião longuíssima e a vaga para qual entrevistei você mudou completamente.

Não parecia uma boa notícia.

— Entendo...

Ouvi uma porta sendo fechada do outro lado da linha.

— Eles querem que a coluna seja escrita por uma pessoa anônima sob o pseudônimo Mãe 402. A ideia é usar um avatar com uma ilustração de uma mãe descolada e cativante; a equipe de design está trabalhando nos rascunhos neste exato momento. E todo mundo amou a ideia dessa colunista anônima, querem investir pesado nisso. A Mãe 402, uma mãe superlegal. O que você acha dessa ideia de pseudônimo? A vaga é sua, falando nisso. Já mencionei esse detalhe?

— O quê? — Pseudônimo? Anonimato? — Caramba. Não, Glen...

— Ah, meu Deus. Compliquei tudo, né?

Glenda riu e depois despejou uma enxurrada de informações. Ela queria publicar meu texto-teste como o primeiro da coluna, e a vaga agora seria para passar metade do tempo escrevendo como a Mãe 402 e a outra metade produzindo conteúdo variado — entretenimento, estilo de vida, regionalidades — sob meu nome verdadeiro, como os outros editores do jornal.

O que seria simplesmente sensacional, porque aí eu teria algo para mostrar para os meus pais quando contasse sobre o novo emprego.

— Nossa.

Minha cabeça girava. Estavam me oferecendo um emprego. Estavam me oferecendo um emprego em que eu trabalharia sob um pseudônimo. E, trabalhando sob um pseudônimo, ninguém do meu círculo saberia que eu, Liv, sem filhos, sou a Mãe 402. Era isso mesmo? Eu dei graças aos céus por estar usando óculos escuros, porque meus olhos marejaram e não deu para conter as lágrimas. Era uma vaga *tão* perfeita, e eu teria que recusar.

— Ah, eu comentei que a vaga é remota? Você vai receber um celular, um notebook, uma impressora e tudo o que for necessário, assim não precisa ir para o escritório todos os dias.

— Fiquei muito feliz em saber, Glenda, mas é que...

Não terminei a frase. Olhei para a cidade ao redor, para todas as pessoas indo e vindo, ouvi o som das buzinas e senti o cheiro de lixo debaixo do sol misturado ao cheiro de fritura vindo dos restaurantes. Eu não ia conseguir. Eu não podia recusar.

Então me ouvi dizendo:

— Fiquei muito feliz com a notícia. Obrigada, Glenda.

— Bem-vinda ao time, Olivia. Vou pedir para o RH mandar um e-mail com todas as instruções de admissão e as informações sobre benefícios e atribuições da vaga. Também vou agendar uma reunião no Zoom para seu primeiro dia. O que acha?

Eu estava sorrindo. Minha vontade era de sair pulando pela rua, ainda que tivesse cem por cento de certeza de que aquele era um erro terrível.

— Acho ótimo.

Desliguei a chamada e soltei um gritinho estridente, o que fez com que todo mundo da área externa do restaurante parasse e olhasse para mim. Encolhi os ombros e tentei falar para a mulher na mesa ao lado:

— Consegui um emprego... foi mal.

Voltei para o apartamento sofrendo com o peso das sacolas e isso nem me abalou, de tão feliz que estava. Fala sério, por que eu me importaria com o peso das latas de Coca Diet queimando meus bíceps se eu começaria no meu emprego dos sonhos dali a alguns dias? Tinha um departamento de marketing trabalhando no material de divulgação para minha coluna naquele exato instante!

De repente, parecia que o vento estava soprando a meu favor.

Parei rapidinho para comprar uma garrafa de vinho e depois fui assoviando para casa. Eu nem derrubei as sacolas enquanto tentava digitar o código de segurança do portão! Queria que Eli soubesse de alguma forma que eu estava me reerguendo. Da última vez em que nos vimos, eu estava me debulhando em lágrimas, depois dei um soco no estômago dele e saí correndo feito uma criança desesperada.

Não foi exatamente uma saída triunfal.

Parte de mim queria muito mandar mensagem pra ele, mas eu não queria arriscar a possibilidade de estragar meu momento.

Eu ainda estava assoviando quando abri a porta do apartamento. Jack imediatamente apareceu, me encarando com as mãos na cintura.

— Que merda você fez na cozinha?

— Hã? — Olhei para a cozinha, que estava um brinco. Meu molho cheirava muito bem, aliás. — Está tudo limpo. Por que estamos sussurrando?

Ele arqueou a sobrancelha, ainda me encarando.

E aí a minha ficha caiu.

A cozinha não estava um brinco quando eu saí, parecia mais uma zona de guerra.

— Você limpou tudo? — perguntei.

Jack balançou a cabeça e apontou para a porta do quarto de Colin.

— *Colin* limpou. Ele já estava puto comigo por ter avisado de última hora que você ficaria aqui. Eu prometi que você não ia virar o apartamento de ponta-cabeça quando ele concordou em te deixar ficar. Por que você não arrumou sua própria bagunça?

Tirei o tênis e respondi em um sussurro exasperado:

— O que ele está fazendo em casa a essa hora?

— Sei lá.

— Ele não é seu melhor amigo?

— Somos dois adultos, sua otária. A gente não fica dando satisfação um pro outro.

— Sério?

— Sério.

Bufei.

— Mas e daí? Ele ficou choramingando pela bagunça como se fosse o dono da casa? O apartamento é metade *seu*, seu bunda-mole.

— Pra começo de conversa, o apartamento *é dele* e eu pago aluguel *para ele,* com um belo de um desconto, diga-se de passagem. Então, como sempre, você está falando merda.

— Ah, bom, nesse caso...

— E tem mais, ele não precisou reclamar porque a gente chegou junto e deu de cara com a sua bagunça ao mesmo tempo. Eu te chamei de babaca e fui tomar banho e quando voltei estava tudo limpo.

— Caramba, Jack, por quanto tempo você ficou no banho?

— Shhh! — Ele olhou para trás e voltou a me encarar como se eu tivesse gritado a plenos pulmões. — Para com isso. Não coloca a culpa em mim sendo que é você quem tá fazendo merda mesmo só estando aqui há uma semana.

— Eu sei, você está certo. — Dei a volta e coloquei as sacolas do mercado em cima do balcão. — Você tem razão. Desculpe.

Ele contorceu o rosto.

— Quê?

— Olha, vou dar um jeito nisso.

Eu estava me sentindo meio culpada por deixar Jack em uma situação ruim com Colin, ainda mais agora, sabendo que ele estava cobrando do meu irmão um aluguel mais barato, o que era um baita favor.

— Avise Colin que o jantar vai ser servido às sete. Comprei um vinho bom e tenho novidades ótimas. Ele vai até se esquecer da minha mancada na cozinha.

Ele semicerrou os olhos.

— Você fez as almôndegas da vovó só pra nos bajular?

— Sim.

— Sua espertinha de uma figa. Talvez funcione. — Ele respirou fundo. — Vou avisar o Colin. Mas vê se cresce, entendeu?

— Tudo bem. — Aquilo me chateou um pouco. — Mas não tirem a bundinha do quarto até as sete.

Colin saiu do quarto às sete horas em ponto. Eu estava diante da ilha da cozinha, tentando com todas as minhas forças abrir a garrafa de vinho. Ele tinha se arrumado para o jantar e vestia uma camisa de botão e calças bonitas. Eu, por outro lado, fiquei me sentindo uma idiota com meu vestido de verão preto com bolinhas brancas que usei no "luau" do meu primeiro ano.

Ele estava bonito e sofisticado pra cacete, enquanto eu estava usando a mesma roupa do dia em que Alex Brown pegou no meu peito pela primeira vez, no banco da frente do Camaro do pai dele. Mesmo de batom vermelho e um lenço preto no cabelo, meu look parecia datado.

Colin se aproximou com uma expressão divertida e pigarreou.

— Precisa de ajuda, Liv?

— Que merda de saca-rolhas é esse? — Meu rosto e meu pescoço estavam vermelhos de tanto manusear aquele apetrecho que, para mim, tinha ares pornográficos. — Isso é coisa de riquinho que gosta de fazer a gente de idiota.

— De qual riquinho você tá falando? — Ele tirou o vinho das minhas mãos e abriu a garrafa num piscar de olhos.

Revirei os olhos e fui para o fogão.

— Dos ricos que fazem saca-rolhas idiotas como esse. E dos otários que compram essas frescuras.

Ele riu, me seguindo pela cozinha.

— Você acabou de me chamar de otário?

Olhei em sua direção com uma cara de "óbvio".

— Dá uma olhada na sua cozinha. Não me entenda mal, as mulheres com certeza gostam. Seu apartamento é muito foda. Eu ficaria caidinha se você me trouxesse aqui pra deitar e rolar na sua cama macia como uma nuvem que custou um milhão de dólares. Só não consigo me imaginar gastando tanto dinheiro em *coisas*.

Merda, merda, merda. Por que fui falar da cama dele?

Mas a expressão de Colin não mudou, graças aos céus. Ele colocou as mãos nos bolsos e disse:

— Você não sabe quanto gastei. Talvez eu tenha conseguido tudo de graça.

Fingi que não ouvi e comecei a mexer o molho.

— Seu escorredor de macarrão é prata de verdade.

— Eu gosto de coisas boas. Isso é crime, por acaso? — Ele inclinou a cabeça e senti seu olhar nas minhas costas. — Se eu posso bancar coisas de qualidade, por que comprar porcaria?

— Nem todo escorredor de plástico é porcaria. Quem disse que um escorredor de prata é melhor?

— Por isso você amassou o meu? — Ele foi até o armário à minha direita e pegou três taças. — Porque, para você, é frescura demais?

Revirei os olhos com tanta dedicação que quase enxerguei meu cérebro, mas continuei mexendo o molho.

— Óbvio que você viu que amassei o escorredor.

Mas quando me virei, ele estava olhando para minhas costas outra vez. Que merda... será que estava encarando meus pneuzinhos?

— Óbvio que eu vi, Liv, porque eu tenho olhos. O escorredor amassado estava jogado no chão bem na frente da porta quando eu cheguei.

— Eu vou comprar outro de plástico pra você, e garanto que vai durar muito mais que esse negócio. — Me virei de frente para ele meio aflita para esconder as costas. — Mas esquece o escorredor, porque tenho uma coisa para contar que, para você especificamente, vai ser a melhor coisa do mundo.

Ele me encarou com tanta intensidade que acabei travando. Colin provavelmente percebeu meu silêncio devido ao tesão, porque abriu um sorrisinho de lado e perguntou em voz baixa:

— Primeiro me explique sua tatuagem.

Ah. A tatuagem. Fiquei aliviada ao saber que ele não estava encarando minhas gordurinhas ou sei lá, embora parecesse bobo. A tatuagem era um trecho de *Orgulho e Preconceito* que descia pela linha da minha coluna em letra cursiva, então Colin jamais chegaria perto o suficiente para ler a frase inteira.

— Você é fiscal de tatuagem, por acaso? — indaguei no mesmo tom de voz, e me perguntei se o calor que eu sentia no ar era por causa da temperatura da comida. Sorri e completei: — Eu não tenho que te explicar nada.

— Não me obrigue a...

— Opa, hora do vinho.

Jack veio correndo da sala, deslizou de meias cozinha adentro e parou bem entre mim e o Colin, o que fez com que a eletricidade no ar sumisse. Estava com a mão estendida, esperando uma taça. Eu tive que rir. Ele era tão idiota.

Ainda com um sorrisinho sugestivo para mim, Colin serviu o vinho para Jack, que disse:

— Qual é a grande novidade, Livvie? Foi inocentada em toda essa história de incêndio?

— Não. Eles acham que eu incendiei o prédio de propósito.

Jack me levou a sério demais e ficou nervoso. Balancei a cabeça e murmurei:

— Você é tão fácil de enganar.

Na verdade, eu tinha recebido um e-mail dos bombeiros naquela mesma manhã com excelentes notícias sobre a investigação. No fim das contas, meu apartamento era o único ocupado porque o prédio estava em reformas; eu teria que sair de lá em breve. Aparentemente, a empreiteira tinha deixado materiais inflamáveis nas escadas em vez de guardá-los no lugar certo, razão pela qual o prédio inteiro foi engolido pelas chamas. A culpa não foi só das minhas cartas de amor.

Resumindo: eu não precisava me preocupar em ser indiciada por ter botado fogo no prédio, obrigada, Deus Pai.

Voltei para o fogão, desliguei o fogo e peguei a panela enorme de água fervente.

Colin disse:

— Espere, Liv.

Fuzilei Colin com os olhos quando ele tirou a panela das minhas mãos.

— Já sei. Você, do alto do seu machismo, acha que não sou forte o bastante pra segurar uma panela de macarrão sozinha.

Jack resmungou e foi em direção à geladeira de cerveja.

— Lá vem o mimimi.

Mas Colin apenas levou a panela até a pia e se pôs a despejar a água no escorredor.

— Não. Eu sei que você consegue, mas tenho medo do seu azar Livviano se manifestar e você acabar, sei lá, espirrando e jogando uma panela inteira de água fervente na minha cara.

— Bom, para ser sincera, faz sentido. — Eu me aproximei para pegar o azeite no balcão. — Depois de terminar de escorrer o macarrão, será que o Salvador da Pátria poderia servir o vinho? Assim não corremos o risco de eu sujar seu precioso chão de madeira.

— Considere feito. — Ele tirou o azeite da minha mão e começou a despejar no macarrão enquanto me olhava. — Mas só depois que você contar as novidades.

— Eu até poderia contar agora, mas qual seria a graça? — respondi.

Fui até a mesa e tirei um isqueiro do bolso para acender as velas que eu tinha colocado no centro. A cena estava muito bonita: os pratos brancos, a luz bruxuleante das velas nas paredes, os guardanapos de cor marfim; mas eram as luzes da cidade vistas das janelas gigantescas que deixavam tudo deslumbrante.

Quando me virei de volta, os dois estavam me olhando com uma expressão de assombro. Mais especificamente, estavam olhando para o isqueiro em minha mão. Dois marmanjos que pareciam ter visto um fantasma.

— Ah, fala sério. Dá pra relaxar? Um incêndio já foi de bom tamanho para mim.

— Um brinde a mim e ao meu novo emprego superlegal.

— Já chega, Liv, você brindou a você mesma umas dez vezes — disse Jack, se recostando na cadeira. — Por que não guarda um pouco da comemoração para quando começar a trabalhar de verdade?

Não me importei com o que Jack disse porque já estava alegrinha e Colin parecia estar sorrindo para mim.

— Pra começo de conversa, meu artigo de estreia está em processo de edição, então tecnicamente já comecei a trabalhar. Em segundo lugar, o que é bom tem que ser celebrado, meu querido irmão.

— Tá bom, faz sentido.

Jack ergueu a taça, Colin o acompanhou e nós brindamos mais uma vez.

Senti o vinho descendo por minha garganta e disse:

— Vou perguntar uma coisa, Beck.

— Ah, então vamos trabalhar com sobrenomes. Ok.

Revirei os olhos e ri. Eu ficava risonha quando bebia.

— Você ficou surpreso por eu ter encontrado um emprego tão depressa?

— O quê?

— Você com a sua *vibe* de "eu sou perfeito em tudo e o resto do mundo só faz merda". Pensei que estivesse em pânico com a ideia de eu ficar aqui o ano inteiro ou mais.

Ele tomou um gole de vinho — nossa, o pescoço dele era sexy — e disse:

— Eu nunca tive dúvidas de que você iria embora em um mês.

Jack soltou um riso debochado.

— Como não? Cara, você bota muito mais fé nela do que eu.

Colin sorriu, contemplando o vinho em sua taça. Tive a impressão de que ele não iria responder, mas então disse:

— Não tem nada a ver especificamente com Liv. Decidimos que seriam trinta dias. Sendo assim, o acordo era que ela fosse embora trinta dias depois de chegar.

Percebi que Colin realmente não estava falando de mim. Aquele era o Colin dos negócios, o cara que usava ternos de mil dólares e não tinha paciência para quebras de contrato.

— Você teria botado ela na rua? — perguntou Jack, achando graça.

Respondi:

— Eu não ia conseguir ficar mais de um mês sem esfaquear vocês dois durante a noite, então não faria diferença.

Eles riram. Estava me sentindo bem por ter feito o jantar. Colin estava nitidamente mais relaxado agora que sabia que eu me mudaria, e era a primeira vez que eu passava um tempo com Jack desde minha chegada.

Ouso dizer que foi uma noite divertida.

Meu celular vibrou com uma notificação. Era Sara.

Sara: E aí? Conseguiu a vaga?

— Uma boa anfitriã nunca fica no celular à mesa.
— Seu celular vibra tão alto — observou Colin. — Nem faz sentido deixar sem som com uma vibração assim. Está quebrado?
— Por isso meu celular fica sempre no silencioso — disse Jack.
— O meu também — concordou Colin.
— Não, não está quebrado.
Pelo menos, eu achava que não. Respondi Sara e, a cada vez que ela respondia, Jack e Colin implicavam com a vibração, mas logo perderam o interesse e começaram a falar de esportes.

Depois de tomar meu último gole de vinho, digitei: E aí, Número Desconhecido?

O jogo do Cubs estava prestes a começar, então os meninos foram para a sala. Meu celular vibrou assim que coloquei o guardanapo no prato.

Cara do Número Desconhecido: Estava jantando.
Eu: Noite interessante?

Estiquei o pescoço para dar uma olhada em Jack e Colin. Os dois estavam no sofá, cada um em seu respectivo celular.

Cara do Número Desconhecido: Nem um pouco. Que bom que você mandou mensagem.
Eu: Eu também não sou interessante.
Cara do Número Desconhecido: Se bem me lembro, ontem você disse que curte uma foda contra a parede. Posso estar ficando louco, mas isso soa muitíssimo interessante.

Deixei escapar uma risadinha e, quando olhei para cima, Jack e Colin me encaravam. Colin arqueou a sobrancelha e não consegui conter outra risada. Pensei em tentar explicar, mas decidi deixar pra lá.

Eu: Você não perde tempo, hein?
Cara do Número Desconhecido: Não vou mentir, pensei bastante na sua resposta hoje.
Eu: Eis aí a grande beleza do anonimato: não preciso ficar com vergonha.
Cara do Número Desconhecido: Com certeza não. É motivo de orgulho, isso sim.
Eu: Não seria legal poder ser transparente assim com um parceiro? Tem gente que jura que é 100% sincera e diz que isso é saudável, mas é mentira. Pq, quando a gente gosta de alguém, não é legal olhar para a pessoa que tá te beijando toda fofinha e falar: "Dá pra acelerar isso aí e me colocar de quatro, amor?"
Cara do Número Desconhecido: Vc não gosta de beijos?

Parei para pensar antes de responder. Eu gostava de beijar, mas gostava de beijos desesperados, sedentos, beirando a brutalidade. Beijar com carinho só servia para criar uma ilusão de amor e fazer com que as duas pessoas acreditassem estar apaixonadas quando, na realidade, eram só duas bocas se encontrando em um ato prazeroso.

Eu não estava interessada nesse tipo de ilusão pelos próximos mil anos.

Eu: Imagina como seria simplesmente pedir o que você quer receber, tipo num restaurante.
Cara do Número Desconhecido: Exemplo?
Eu: Boa noite, garçom. Para a entrada eu gostaria de ser chupada até gozar, rápido e intenso, por favor. Para o prato principal acho que quero ser colocada de quatro e comida por trás.
Cara do Número Desconhecido: A moça vai querer sobremesa também?

Eu fiz algum som, aparentemente, porque Jack estava balançando a cabeça quando ergui o olhar.

— Voltou para a quinta série, mandando mensagens para o namoradinho durante o jantar? Que risadinhas são essas?

Senti minhas bochechas ficando vermelhas.

— Meus amigos são engraçados, só isso. E mais interessantes do que um jogo de beisebol.

— Fale por você.

Revirei os olhos e voltei para a conversa excitante com o Cara do Número Desconhecido.

Eu: Sim, vou querer o especial da casa: o sono profundo no meu lado da cama, sem conchinha nenhuma. *Devolvo o cardápio e dou um golinho na água*

— Sobrou vinho, Liv?

Olhei para Colin como se tivesse sido pega no flagra.

— Hum, o quê?

Ele olhou para mim com uma expressão curiosa.

— Você secou a garrafa?

— Ah, não. — Ergui a garrafa contra a luz. — Acho que ainda tem umas duas taças.

— Ótimo — disse Colin, se levantando e alongando as costas.

Deixei meu celular na mesa e fui pegar um refrigerante. Não foi uma boa ideia, porque, enquanto abria a geladeira, ouvi meu celular vibrar — era realmente *muito* barulhento — e, para meu horror, vi Colin de pé, olhando para a tela acesa.

Merda, merda, merda. Eu era uma mulher adulta, mas não queria que aquele insuportável soubesse das minhas preferências sexuais. Fingindo casualidade, andei rápido até a mesa, peguei meu celular e olhei para Colin, mas ele já estava prestando atenção ao jogo de beisebol enquanto se servia do vinho.

Ufa. Ele não tinha lido nada. Desbloqueei a tela.

Cara do Número Desconhecido: Bom, te juro que se fosse na vida real, eu serviria todos os itens do seu cardápio com prazer. Na vdd, eu provavelmente pediria a mesma coisa.

Não era racional, mas a resposta dele me deixou arrepiada. Respondi depressa:

Eu: Que pena que a gente não pode... compartilhar uma refeição. Comer juntos. Argh, não tem jeito de fazer isso não soar esquisito. Só quero dizer que é legal saber que temos um interesse em comum.

Cliquei em "enviar" e acrescentei em seguida: Isso soou pervertido além de esquisito?
Cliquei em "enviar" outra vez, mas logo depois senti que era necessário acrescentar: Vc entendeu, né?
Olhei para cima assim que enviei e me deparei com Colin encarando o próprio celular como se estivesse vendo aquele tipo de tecnologia pela primeira vez.

5

Colin

Puta merda.
   A srta. Sem Querer é a Olivia?
   Não pode ser.
   Que porra era aquela?
   Não era possível, mas eu vi a mensagem que eu tinha acabado de mandar aparecendo na tela do celular dela com o nome "Cara do Número Desconhecido".
   — Tudo bem aí, Beck?
   Bloqueei a tela do meu celular e as mensagens sumiram. Eu não queria olhar para a cara dela naquele momento, mas, mesmo assim, levantei a cabeça. Olivia me encarava do outro lado da mesa com uma expressão divertida, o mesmo sorriso espertinho de sempre.
   — Tudo. — Pigarreei e enfiei o celular no bolso. — Tudo ótimo.
   Levei minha taça para a pia, ansioso para sair logo da cozinha e conseguir pensar direito. Não estava "tudo bem", muito menos "ótimo". Abri a torneira e tensionei a mandíbula com tanta força que meus dentes doeram. Deus parecia estar me pregando uma peça. Então Olivia, aquela destrambelhada, era a anônima sexy?
   Que pesadelo.
   Eu não tinha nada contra Liv — ela era bonita e eu me divertia pegando no pé dela —, mas a Sem Querer estava em outro patamar. *Ou, pelo menos, era o que eu achava.* Ela era engraçada, cativante, sexy, inteligente, excêntrica e até mesmo um pouco meiga.

Nada parecida com Olivia.

Seria possível?

Comecei a lavar um dos pratos e percebi que estava me sentindo triste, como se tivesse perdido alguma coisa importante ao descobrir quem ela era. Para falar a verdade, estava tão transtornado que senti vontade de socar alguma coisa. Sentia raiva porque, *do nada* e sem qualquer tipo de aviso, eu não tinha mais uma relação via mensagem com uma desconhecida.

E não só isso: eu teria que dar *ghosting* nela.

Eu não tinha escolha.

Olivia não podia saber da verdade. Eu tinha contado coisas demais e não ia conseguir lidar com o fato de ela ter tantas informações sobre mim. E eu definitivamente não ia continuar de papo agora que sabia que a pessoa com quem eu conversava era a irmã caçula de Jack.

De jeito nenhum.

Então... fim de história. Eu teria que criar coragem e esquecer toda aquela situação. Era a coisa sensata a fazer.

— Quem cozinha não lava a louça, não é? — Olivia surgiu do meu lado, mas seu perfume tinha chegado antes. — Não é essa a regra?

Ela estendeu o prato, esperando para colocá-lo na pia, e eu imediatamente me arrependi de tê-la olhado. Porque ela ainda era a mesma: mesmo cabelo escuro e comprido, mesmos olhos verdes, mesmas bochechas rosadas. Era a mesma Liv de sempre.

Agora, no entanto, a imagem dela tinha sido deturpada por pequenos indícios da Sem Querer. Em vez de simplesmente enxergar o rosto da irmã de Jack, meu cérebro acessava coisas que eu sabia sobre ela, como, por exemplo, o fato de ela preferir sexo frenético contra a parede com mordidas no ombro.

Merda.

Voltei os olhos para a pia de novo; eu precisava de tempo para absorver aquela reviravolta antes de voltar a olhar para Liv.

— Quem cozinha não lava a louça.
— Sério? — Percebi ela inclinando a cabeça.
— Sério. Você teve um grande dia, pode deixar a louça comigo.
Ela disse "Nossa", mas continuou ali, parada.
Pelo amor de Deus, sai daqui.
— É melhor dar o fora antes que eu mude de ideia.
— Colin. — Pelo tom de voz, percebi que ela esperava que eu a olhasse.
— Olivia.
Acabei cedendo e, quando me virei, ela estava sorrindo. Eu só queria que ela se afastasse, então torci para parecer tão impaciente quanto eu me sentia. Ergui a sobrancelha.
— O quê?
Ela me cutucou com o cotovelo num gesto amigável e disse:
— Obrigada por ter sido legal hoje. Foi bem divertido até você ficar todo estranho agora.
Ela estava perto demais, à vontade demais, brincalhona demais. Tentei manter minha voz inexpressiva ao dizer:
— Aham. Agora vai dormir, Olivia.
Ela abriu outro sorriso.
— Bons sonhos, Colin.

6

Olivia

Quando meu alarme tocou, cada centímetro do meu corpo implorava para ignorá-lo e continuar dormindo.

Mas eu não podia arriscar. Não podia correr o risco de ceder aos meus velhos hábitos irresponsáveis e assim perder todas as coisas de mulher adulta que finalmente consegui. Precisava seguir firme e forte no projeto Nova Olivia.

Além disso, sempre existia a opção de cochilar na cama de Colin depois que ele saísse para o trabalho.

Vesti um short e uma camiseta com os dizeres "Just Do It" e o logo já desbotado, escovei os dentes e prendi o cabelo em um rabo de cavalo. Cinco minutos depois, descia pelo elevador colocando o fone de ouvido enquanto escolhia minha playlist favorita para correr.

E assim meu dia começava.

O sol começava a despontar no céu e as ruas da cidade estavam silenciosas; uma manhã perfeita para correr. Além disso, pela primeira vez, estava me sentindo bem com o exercício. Corri por quatro quarteirões sem precisar parar até que quase atropelei um cara que estava amarrando o tênis. Virei a esquina rapidamente quando do nada — PÁ! — lá estava ele, bem no meio da calçada. Eu até tentei desviar com um salto ágil, mas acabei tropeçando no meu próprio pé e levei um tombo, caindo de joelhos na calçada.

Um tombo feio.

— Porraaaaaaaa — praguejei com os dentes cerrados.

Meus dois joelhos estavam ralados e começaram a sangrar, como se eu fosse uma criança caindo no recreio da escolinha, e doíam tanto que eu senti vontade de chorar. Me endireitei e me sentei no chão, reprimindo a vontade de gemer de dor.

— Meu Deus, você está bem?

Olhei para cima e dei de cara com um rosto atraente e um boné virado para trás. Sussurrei para mim mesma:

— Tá de brincadeira.

Pelo visto ele me ouviu, porque sorriu e disse:

— Está tudo bem, as pessoas caem o tempo todo.

Que maravilha cair feito uma imbecil na frente de um cara que era bonito *e* legal. Fiquei de pé num pulo e abri um sorriso como se não estivesse sentindo que havia levado uma marretada em cada joelho e como se a palma das minhas mãos estivesse perfeita.

— Estou ótima.

— Você está sangrando — Ele usava óculos de sol, mas eu sabia que encarava meus joelhos e o filete de sangue que escorria pela minha canela.

— Ah, não foi nada. — Acenei de forma descontraída com uma cara boba. — Eu sangro fácil, mesmo. O tempo todo. Não foi nada, de verdade. Então é isso. Há... Tenha um bom dia.

Virei e continuei minha corrida, acenando enquanto me esforçava para desaparecer da frente dele. Corri pelo quarteirão, desesperada para me distanciar o máximo possível, mas em questão de uns vinte segundos ele me alcançou.

Que merda. Ele começou a correr ao meu lado.

Eu nem sequer olhei para ele.

— O que está fazendo?

— Correndo. — Pelo tom de voz, ele parecia estar sorrindo. — Você sempre corre rápido assim?

— Sempre. — Eu estava viciada em mentir. — Não tem problema se não conseguir me acompanhar.

— Ah, eu consigo. — Olhei para ele novamente, e ele me lançou um sorriso. — Quem chegar por último na Starbucks paga?

Eu tinha saído sem dinheiro, mas estava precisando de um café mais que de oxigênio. Conseguia enxergar o prédio da Starbucks de onde estávamos, então decidi topar.

— Vamos nessa.

Saí correndo o mais rápido que conseguia. Graças aos céus não havia ninguém por perto tão cedo, porque eu saí em disparada pela calçada. Não virei o rosto para não correr o risco de cair outra vez, mas eu estava ouvindo os passos dele me acompanhando, então sabia que não devia estar muito atrás.

Continuei no mesmo ritmo acelerado e, quando finalmente cheguei à Starbucks, gritei:

— Ganhei!

Cheguei lá apenas uma fração de segundo antes dele, mas o sabor da vitória era doce mesmo assim. Ele não parecia ter se importado com a derrota e disse, sorrindo:

— Bom, trato é trato. O café é por minha conta.

Sorri de volta, arfando como se meus pulmões estivessem prestes a explodir.

— Acho que é.

Entramos e fizemos nossos pedidos, os dois ofegantes, então ele foi ao banheiro enquanto eu esperava que chamassem nossos nomes. Fiquei olhando conforme ele se afastava, e o conjunto da obra não decepcionou: passos confiantes, panturrilha musculosa, bundinha redonda. Nada mau, nada mau.

Só para constar, aquele provavelmente era o jeito mais bizarro de conhecer um cara. Ele nem sequer tinha me dito o nome dele (era Paul, eu o ouvi dizendo ao barista), mas já estávamos juntos num café. Peguei o celular e mandei uma mensagem para o Cara do Número Desconhecido, que devia ter capotado na noite anterior e me deixado no vácuo.

Eu: Vc não vai acreditar. Saí para correr, tropecei num cara que estava amarrando o tênis e caí com tudo no chão, machuquei os joelhos, a coisa toda. Mas agora eu e o corredor gostoso viemos tomar café, o que me leva a perguntar: *serial killer* ou alma gêmea?

— Tome. Limpe seus joelhos antes que eles infeccionem.

Ele voltou e me entregou um pedaço de papel higiênico úmido de água e sabonete.

Eu ergui a sobrancelha.

— Sério, mãe?

Ele sorriu outra vez, e ganhou pontos por ter um sorriso bonito, pegou nossos cafés e fez um gesto com a cabeça em direção às mesas externas.

— Sim, sério.

Ele segurava meu café, então o segui para o lado de fora e me sentei numa mesa sob o sol quentinho da manhã. Eu não sabia se gostava de ele ser tão mandão, mas iria aproveitar com certeza o café de graça enquanto descobria a resposta para esse dilema.

Ele escolheu uma mesa e, assim que me sentei, apoiei a perna direita na cadeira vazia ao lado e comecei a limpar meu joelho.

— Meu nome é Paul, aliás.

Vi que ele usava uma corrente grossa de ouro por baixo da camiseta.

— Sim, eu ouvi — respondi, sorrindo. Apontei para mim mesma: — O meu é Olivia.

— Também ouvi.

Pigarrei.

— Já ia me esquecendo, eu pedi desculpas por quase ter pisoteado você?

Paul balançou a cabeça de um lado para o outro, devagar.

— Não, não pediu.

— Bom, então me desculpe. Mas o café está uma delícia, então parece que valeu a pena.

Ele abriu um sorriso largo e respondeu:

— Era exatamente o que eu estava pensando.

Meu fascínio com o chuveiro do apartamento era tão grande quanto no dia em que cheguei. Era maravilhoso como uma chuva morna de verão e, depois que eu entrava no banho, minha vontade era ficar para sempre. O prazer era tanto que eu tinha começado a me acostumar a tomar duchas longas e gostosas e a perder completamente a noção do tempo.

O banho naquela manhã não foi uma exceção.

Quando cheguei em casa — beirando à morte por falta de oxigênio, óbvio — o apartamento estava no maior silêncio. Das duas uma: os meninos ainda estavam dormindo ou já tinham saído para trabalhar. O que importava era que aquela benção em forma de chuveiro estava livre.

Enquanto lavava o cabelo e raspava as pernas com cuidado, evitando meus joelhos esfolados, fiquei pensando no quão legal tinha sido esbarrar com Paul. Por um lado, aquilo não tinha futuro nenhum. Combinamos de sair para um brunch no dia seguinte, mas eu tinha aceitado *antes* de saber que 1) ele não tinha ideia de quem era Ruth Bader Ginsburg e 2) ele e os amigos adoravam comer asinha de frango em um restaurante com garçonetes seminuas.

Esses dois fatos somados à corrente ridícula no pescoço dele e a trindade da idiotice machista estava formada.

Mas, ainda assim, considerava uma vitória, porque um cara muito bonito tinha reparado em mim mesmo depois de eu cair toda destrambelhada na frente dele. E, ao que tudo indicava, eu estava especialmente interessante naquela manhã, já que fui chamada para um brunch.

Pelo visto meu charme estava em dia. Eu acho.

Depois que terminei o banho e me enrolei numa toalha, abri a porta do banheiro e dei de cara com Colin.

— Meu Deus! — Levei a mão ao peito na toalha molhada e olhei para cima, para ele. Caramba, como ele era alto. — Por que você fica surgindo do nada?

E por que eu fico atropelando homens?

Colin segurou meu antebraço quando tentei bater nele, e sua mandíbula contraída combinada com seus intensos olhos azuis me fizeram focar no lugar exato onde cada dedo dele tocava minha pele. Eu mal tinha me secado, então meus braços estavam molhados e meu cabelo pingava, e mesmo assim me senti estranhamente quente apesar dos arrepios que subiam pelo meu corpo todo.

O problema era que o peito bronzeado, suado e superdefinido de Colin estava bem *ali*. E logo abaixo daquele peitoral havia um tanquinho que só podia ser definido como pecaminoso. Eu sabia que precisava me obrigar a olhar para o rosto dele, mas era difícil, porque estávamos a centímetros um do outro, ambos meio molhados e com muita pele exposta.

— Peço desculpas por atrapalhar a madame na *minha* casa. — Colin me soltou, e percebi que ele flexionou os dedos antes de baixar o braço. Sério? Ele estava flexionando a mão como se fosse a porra do sr. Darcy em Netherfield? Então, com um sorriso sarcástico, completou: — Como ouso?

Segurei minha toalha com força e respondi no mesmo tom:

— Você entendeu o que eu quis dizer. Eu nem sabia que você estava aqui. De novo.

Ele fingiu estar confuso de maneira teatral. Que babaca.

— Mas calma... você sabe... você sabe que eu moro aqui, não sabe...? Será que eu deveria informar meus horários para você?

— Sim. — Fiz a mesma cara de babaca e inclinei a cabeça para o lado. — Seria excelente.

— O que você fez nos joelhos?

Os olhos dele ainda estavam nos meus, mas, pelo visto, ele tinha encontrado tempo para reparar nos dois hematomas em minhas pernas.

— Eu estava ajudando uma velhinha a atravessar a rua.

— Mentirosa. — Ele franziu a testa. — Como você teria ralado os joelhos fazendo isso?

— Hum... — Eu nem sequer sabia por que estava mentindo. — Eu precisei salvar a velhinha me jogando na frente dela.

— É mesmo?

Colin parecia ser o tipo de pessoa que jamais cairia numa presepada daquelas, mas também parecia ser o tipo de pessoa que estampa um anúncio da Nike com as palavras "Just Do It" escritas no peito nu e suado.

— Sim. — Semicerrei os olhos. — Mas você não saberia, porque nunca correria o risco de estragar as suas roupas de riquinho para ajudar uma senhorinha.

— Não tem como você saber disso.

Apenas dei de ombros.

— Não vai mesmo me dizer o que aconteceu?

Ele parecia realmente querer saber. Então respondi:

— Não, não vou.

Apertei minha toalha e fui em direção ao meu quarto/escritório. Assim que toquei a maçaneta, ouvi Colin dizer:

— Me conte o que está escrito, Marshall.

Olhei para trás. Colin ainda estava com uma expressão séria, mas tinha um sorrisinho no canto da boca. Ele apontava para minha tatuagem.

— Sem chances, Beck — respondi, balançando a cabeça.

Fechei a porta e me vesti depressa. Pouco depois, o ouvi ligando o chuveiro. Eu não sabia o que tinha acontecido naqueles momentos de tensão, mas ele obviamente se irritou comigo. E podia muito bem ser tudo coisa da minha cabeça.

Afinal, eu *estava* passando tempo demais fantasiando sobre o meu amigo anônimo. Meus flertes com o Cara do Número Desconhecido pareciam ter levado minha libido a um nível nada saudável, o que me fez sentir correntes elétricas onde não havia nenhuma.

Aquele era Colin. Não existia eletricidade ali. Existia?

E, por falar nisso, onde o Cara do Número Desconhecido tinha se metido?

Colin

> **Srta. Sem Querer:** Cara, cadê você? Eu estaria me sentindo ofendida se não tivesse 100% de certeza de que sou legal demais pra levar *ghosting*.

Droga.

Larguei o celular na mesa, me recostei na cadeira desconfortável da cozinha e apoiei as mãos na cabeça. Agora que eu tinha parado para pensar, era estranho eu nunca ter notado as semelhanças entre a Sem Querer e Olivia. Cada palavra que a "Sem Querer" tinha mandado soava exatamente como o jeito de falar e agir de Olivia, embora a Sem Querer tivesse falado muitas coisas inesperadas.

Passei a noite passada na cama relendo nossas conversas e imaginando Olivia dizendo tudo aquilo. Acabei ficando confuso, misturando as duas, e, no fim das contas, decidi apagar todas as mensagens e esquecer que aquilo tinha acontecido. Olivia Marshall era a irmã caçula de Jack. O resto era irrelevante.

Na teoria, isso não seria um problema, mas vê-la usando minha toalha como se fosse um vestidinho preto me fez pensar sobre o que ela estaria fazendo no escritório. Quando ouvi o barulho do secador, comecei a pensar no que ela estaria vestindo. A toalha, ainda? Depois que ela desligou o secador, por mais que eu tentasse, a curiosidade *sobre o que ela estava fazendo lá dentro não ia embora.*

Ouvi batidas, passos, barulhos como se ela estivesse literalmente escalando a parede do apartamento, tudo isso enquanto eu tentava trabalhar da mesa da cozinha.

Como se tivesse lido meus pensamentos, a porta do escritório se abriu e ela apareceu. Estava usando um vestido solto branco e um par de All Stars de cano alto, uma escolha ridícula, mas era tão a cara de Olivia que caía bem nela. O vestido valorizava suas curvas e ela havia apostado na combinação cabelo preso em um coque com óculos na ponta do nariz, que sempre me agradou muito.

Sim, tudo bem, eu tinha uma questão mal resolvida com bibliotecárias.

— Eu vou trabalhar de um café, então pode usar o escritório hoje. — Ela jogou uma bolsa sobre o ombro e me deu *aquele* olhar. — Mas não faça bagunça.

— Vou fazer o possível. Obrigado por tamanha generosidade.

Tentei me concentrar na planilha de Excel à minha frente, mas não consegui desviar o olhar dela. Eu sabia que Olivia era atraente, mas parecia que o universo de repente havia decidido esfregar esse fato na minha cara. Pernas bonitas, bunda perfeita, olhos que ficavam apertadinhos quando ela sorria além de uma linda tatuagem minúscula nas costas que costumava ficar escondida por baixo das roupas.

Sem falar no perfume. Era um daqueles cheiros penetrantes que permanece no ambiente e faz qualquer um ter pensamentos poluídos.

— Não estou achando minha chave, então, se você for sair, pode deixar a porta destrancada? — disse Olivia, abrindo a geladeira.

Quando ela se inclinou para olhar lá dentro, a saia do vestido subiu meio centímetro. *Qual é a porra do meu problema?*

Ela pegou uma das minhas maçãs e disse:

— Com certeza está perdida na minha bolsa.

— Hum, não, é óbvio que não vou deixar meu apartamento destrancado. — Uma ideia que só poderia ter sido de Olivia. — Por que não fica aí até achar a chave?

Ela revirou os olhos.

— Não, não quero. Vou sair.

— Bom, beleza, então. Vou torcer para você não ficar trancada para fora.

Ela suspirou, impaciente.

— Você não pode mesmo deixar a porta aberta para mim?

— Não, eu não vou mesmo deixar o apartamento destrancado sem ninguém em casa.

— Ah, pelo amor de Deus, Beck, será que você não...

— Liv. — Ergui a mão para que ela parasse de falar. — Eu não devo sair, então não tem problema, tá bom? Pode ir.

Ela deu uma mordida na maçã e ficou me encarando como se esperasse que eu fosse dizer mais alguma coisa. Quando viu que eu continuei em silêncio, disse:

— Beleza. Tchauzinho.

Ela deu meia-volta e saiu.

Merda.

Eu tinha que me controlar; não era normal Olivia me afetar assim. A única certeza que eu tinha era a minha vantagem sobre ela. Olivia era completamente maluca, então eu estava sempre no controle. Ela fazia coisas idiotas das quais eu tirava sarro. Não tinha como toda essa confusão com a Sem Querer afetar nossa relação. De jeito nenhum.

Embora ela tenha me dito que ficar por cima era a posição favorita dela.

Pensamentos como aquele iam acabar me matando.

Até tentei trabalhar no escritório, mas era diferente agora. Apesar de ela ter organizado suas coisas (o que significava que ela só havia amontoado tudo dentro do armário), ali não parecia mais ser meu local de trabalho. Parecia ser apenas o lugar onde

Olivia dormia. Estava impregnado com o cheiro dela e, para meu completo desespero, havia um sutiã preto de renda pendurado na maçaneta.

Quando eu finalmente consegui me concentrar e comecei a ser produtivo, meu celular vibrou.

Srta. Sem Querer: Ok, você obviamente morreu ou está em coma. Eu devia respeitar isso, ainda mais se sua mãe estiver com o seu celular, lendo essas mensagens e se perguntando o que é isso, mas eu sou egoísta. Preciso de um amigo anônimo e vou simplesmente continuar mandando mensagens para o vácuo que essa conversa se tornou, quer você responda ou não.

— Pelo amor de Deus.

Me recostei na cadeira, encarando a tela do celular. Adeus, concentração.

Srta. Sem Querer: Estou em um café e tem um cara de fone de ouvido cantando aquela música do Marvin Gaye, "Sexual Healing", em voz alta. Parece que está no *repeat*, pq já é a quinta vez que ele canta. Não sei o que fazer.

Eu quis muito responder "O jeito é jogar o fone dele dentro do café".

Srta. Sem Querer: Aposto que vc diria uma coisa idiota agora, tipo pra eu jogar o fone dele dentro do café. Mas não posso, ele tem uma *vibe* que gritaria comigo no meio da cafeteria. Acho que vou pegar meu spray de pimenta e deixar em cima da mesa, só pra ele saber com quem tá se metendo.

Que perigo. Olivia conseguiria cegar a si mesma em questão de minutos se ficasse brincando com o spray de pimenta.

Srta. Sem Querer: Pensando bem, nós dois sabemos que eu não sou a pessoa mais confiável do mundo para manusear um spray de pimenta. Vou, então, para outro lugar, um onde não haja homens cantando *get up, let's make love tonight*. Adeuzinho, Cara do Número Desconhecido. E adeusinho para você também, Mãe do Cara do Número Desconhecido, caso você esteja cuidando do celular dele nesse difícil momento. *Ciao*.

Saí do escritório e fui até as janelas — minha parte favorita do apartamento — ver a vista da cidade. Precisava esfriar a cabeça. Se meu cérebro não estava conseguindo se livrar da Sem Querer, talvez Harper pudesse me ajudar.
Procurei o número dela e enviei uma mensagem.

Eu: Lembra quando falamos sobre sair para jantar?

Eu não estava esperando que ela respondesse tão rápido, mas meu celular vibrou quase no mesmo instante.

Harper: Você realmente está me chamando para sair seis meses depois? Tenho quase certeza de que isso foi no Ano-Novo, Colin.
Eu: Talvez eu tenha demorado seis meses para criar coragem para falar com você.
Harper: Ou talvez você tenha demorado seis meses para lembrar meu nome.

Chegava a ser engraçado o quão certa ela estava. No dia em que mandei mensagem para a Sem Querer por engano — porra... para

Olivia —, eu estava tentando mandar para Harper, e a verdade é que não conseguia me lembrar se "Harper" era nome ou sobrenome. Nos conhecemos no Bar do Billy no Ano-Novo. Ela era maravilhosa, mas pareceu ser um pouco difícil de lidar, por isso demorei tanto para entrar em contato.

Mas quem não tem cão caça com gato. Respondi: Vamos jantar no M's hoje, HARPER O'RILEY (viu?), e eu garanto que você vai ter uma ótima noite.

O celular vibrou.

Srta. Sem Querer: Atualização. O Fone de Ouvido me seguiu por três quarteirões e quando eu me virei pra confrontar ele com meu spray de pimenta, ele me disse que nem sou tão bonita assim e que era pra eu "ir me comer" com meu spray.

Caramba.

Srta. Sem Querer: Fiquei obcecada com o significado disso. 1) Ele acha que eu deveria me autopenetrar com a lata de spray de pimenta? 2) Ele se enganou e quis dizer "me foder" em vez de "me comer"?

Comecei a rir. Não consegui aguentar. Ela era completamente absurda. Tive que me controlar ao máximo para não responder com a opção número *3) Ou talvez ele estivesse querendo dizer pra você "ir comer" seu spray de pimenta. Ou seja, era só uma sugestão de jantar.*

Mas enquanto eu considerava fazer isso, Harper respondeu.

Harper: Encontro vc no M's. Meu tio é bartender, vou ligar pra reservar uma mesa. Sete horas, pode ser?

Uau. Talvez ela não fosse tão difícil assim.

Eu: Sete horas é perfeito. Até lá.

Olivia

Apesar de não conseguir parar de tremer, finalizei um artigo sobre a inauguração de um bistrô em Capitol District e comecei a escrever outra coluna da Mãe 402. Aquele idiota tinha me afetado e eu odiava isso. *Odiava*. Sempre me considerei uma pessoa relativamente corajosa, mas me bateu um desespero ao perceber que ele estava me seguindo.
Graças a Deus o spray de pimenta existe.
Os homens nunca vão entender como é injusto o fato de que eles simplesmente são maiores. Caras baixos, altos, sedentários, delicados; a realidade é que a maioria deles acabaria comigo se quisesse. Um homem nunca vai saber o que é não poder andar sozinha e despreocupada. Pensar nisso sempre me deixa com muita raiva.
Babacas. Todos eles.
Eu esperava que o Cara do Número Desconhecido me respondesse com algo engraçado que faria eu me sentir melhor, mas continuei no vácuo. O que começava a me chatear mais do que eu gostaria. Eu não conseguia parar de pensar em duas coisas; primeiro, o porquê do *ghosting*. Será que eu tinha feito alguma coisa? E, segundo, por que o sumiço dele estava mexendo tanto comigo? Pelo amor de Deus! A gente nem se conhece. Como era possível o silêncio dele me deixar tão mal?
Mas, ah, como foi incrível escrever hoje.
Quando escrevo um novo texto, é como se me injetassem uma dose de adrenalina. Seja um artigo sobre fraldas (sim) ou um relato pessoal, eu me sinto viva e movida por uma eletricidade indescritível enquanto trabalho. Acho que, quando escrevo, meu cérebro produz as mesmas substâncias que o de um atleta, e isso me dá

um certo barato, então fico cada vez mais viciada, com o mesmo apetite eufórico de um rato de laboratório quando recebe comida.

Passei o dia inteiro imersa no trabalho, parando só para pegar café e comer um bagel na hora do almoço. Encerrei no final do dia, bem a tempo de ir ao centro de doação de plasma e voltar para casa quatrocentos dólares mais rica, o que me fez me sentir um pouco melhor. Will e Dana iam deixar os meninos comigo por volta das sete para comemorar o aniversário de casamento com um jantar romântico; então, se meus colegas de apartamento tivessem planos para o sábado, eu teria a noite livre para aproveitar meus sobrinhos sem os *haters* infantis por perto.

Mas, com toda a minha sorte, é óbvio que Colin estava em casa. Ele saiu do quarto assim que cheguei e abriu um sorriso genuinamente gentil. Depois disse:

— Marshall. Como foi o trabalho hoje?

Não consegui responder sem prestar atenção na aparência dele. Ele parecia estar se arrumando para sair e estava muito gostoso. Sexy demais. Tipo um playboy bilionário que comeria e beberia uma supermodelo.

— Foi excelente. — Tomei um gole do achocolatado que tinha trazido da rua. — Foi um dia muito produtivo.

Ele esperou eu dizer mais alguma coisa, então olhou para minha bebida enquanto arrumava a gravata e disse:

— Você sabe quanto açúcar tem nisso?

— Sei. E sei também que nunca vou ter um tanquinho como o seu se continuar tomando essas coisas, então pode me poupar da palestrinha.

Ele deu aquele sorrisinho de lado.

— Sabia que você ia notar meu tanquinho.

— Ah, tá bom, Colin, como se não desse pra ver isso aí do espaço. — Agitei o copo para soltar os pedaços de gelo do fundo. — Não notar seria como não perceber que árvores são verdes.

— Obrigado.

— Não precisa se achar. É apenas um fato. Para ser sincera, não gosto muito de tanquinhos que nem o seu. Caras malhados não são muito a minha praia.

Ele acenou brevemente com a cabeça, mas seu sorriso arrogante dizia que não acreditava nas minhas palavras.

— Anotado.

Soltei minha bolsa no chão e apoiei os cotovelos sobre o balcão.

— Na verdade, eu acho ele meio nojento. Mas todo mundo parece curtir, então quem sou eu pra julgar?

— Nojento?

— Sem ofensas. É que é meio... hum... definido demais, acho.

Ele franziu a testa para a gravata.

— Está dizendo que meu tanquinho é nojento.

— Tipo, não *nojeeeento*. Sou só eu. — Sorri, adorando perceber que estava conseguindo irritá-lo. — Tenho certeza de que as mulheres piram no seu tanquinho.

— Sim, elas piram.

— Que bom, queridinho. — Mostrei a língua para ele e ele me mostrou o dedo do meio. — Isso e seus apetrechos de riquinho devem deixar as mulheres loucas.

Sua expressão ficou séria.

— Não que eu queira ter essa conversa com a irmã mais nova do Jack que obviamente está tentando me irritar, mas mesmo sem os apetrechos de riquinho, seja lá que porra for essa, eu me garanto.

— Qual é o seu carro, Beck?

— Não interessa.

— Tesla? Benz? BeeMer?

— Não.

— Audi?

Ele cerrou a mandíbula.

— Sabia! — Sorri, muito animada por saber que tinha enfim o atingido. — Esse carro é *total* um apetrecho de riquinho, e você sabe que sim.

— Está com inveja?

— Demais. — Levei o copo à boca e perguntei: — E aí? O que vai fazer hoje? Reunião do conselho? Cervejada filantrópica? Festa beneficente?

— Vou sair para jantar com uma amiga. Não que seja da sua conta.

— Uma amiga amiga ou uma amiga com segundas intenções? — perguntei, encarando seu pescoço enquanto ele dava o nó na gravata.

Ele deu uma risadinha e balançou a cabeça.

— Vamos ver. Ela é bonita, mas ainda estamos nos conhecendo.

— Hum.

Cruzei os braços e dei uma olhada no relógio na parede. Eu tinha só cinco minutos antes de Will chegar com os meninos.

— Bom, é melhor você ir andando para não se atrasar.

— Ainda falta bastan...

— Não, não falta não, porque você ainda precisa comprar um buquê de flores. — Peguei as chaves do gancho da parede e as estendi para ele. — Vai lá.

Ele arqueou uma sobrancelha.

— Por quê? O que você vai fazer?

Revirei os olhos.

— Ai, meu Deus, nada, seu doido paranoico. Você precisa sair e eu estou ansiosa para ter um pouco de paz e sossego. Isso é crime, por acaso?

Colin parou e me examinou com seus olhos azuis, autoritários e firmes. Então pareceu ceder.

— Eu vou, mas só porque acho que você realmente precisa ficar um pouco sozinha. Aproveite a privacidade, tá bom?

E depois ele saiu. *Ufa*. Essa foi quase.

Will apareceu três minutos depois e deixou os meninos.

Era exatamente o que eu precisava. Brincamos com trenzinhos por um tempo e depois ficamos deitados no chão assistindo *Patrulha Canina*.

Mandei algumas mensagens para o Cara do Número Desconhecido na intenção de fazer o celular dele vibrar o suficiente para ele não ter escolha senão me responder, mas ao mesmo tempo eu já tinha perdido as esperanças, o que, odiava admitir, era meio decepcionante.

Eu: Estou deduzindo que vc morreu, Desconhecido, mas ainda preciso de uma confirmação.
Eu: *Patrulha Canina* está me deixando com vontade de morrer também.
Eu: Que cidade é essa que depende de um adolescente e dos cachorros dele?
Eu: O Rubble é o meu cachorro favorito da patrulha. Só pra vc saber.

Quase me engasguei quando meu celular vibrou e vi que era uma mensagem dele. Acho que, no fundo, eu já estava esperando uma mensagem da mãe dele confirmando o coma. Prendi a respiração e cliquei na notificação.

Cara do Número Desconhecido: Foi mal, não posso falar. Estou num encontro.

Em outras circunstâncias eu o teria deixado em paz. De verdade, em qualquer outro dia eu teria ficado quieta, mas depois do incidente com o spray de pimenta e o maluco do fone eu já estava de saco cheio das palhaçadas dos homens.
Ele ia me responder SIM.

Eu: Em uma escala de 1 a 10, que nota vc dá para o papo dela?

Ele demorou vinte minutos para responder.

Cara do Número Desconhecido: Tenho que responder rápido pq ela foi ao banheiro arrumar a lente de contato. A resposta é que ela fala de uma forma bem agressiva, se é que isso faz sentido.
Eu: Faz.
Eu: Vc e a srta. Encontro se conhecem bem?
Cara do Número Desconhecido: Conversamos 10 min bêbados numa festa.
Eu: Bom. Vc sempre pode fazer ela passar pelo Teste do Encontro. Assim vc já acaba logo com isso se ela não passar.
Cara do Número Desconhecido: Elabore.
Eu: Então, por ex: eu gosto de sugerir que a gnt faça algo mto doido, algo que exija um esforço da outra pessoa. Tipo: "E se a gnt fosse até o aeroporto, estacionasse perto da pista de decolagem e subisse no teto do carro para ficar vendo os aviões?"
Cara do Número Desconhecido: Em que universo isso me ajudaria?
Eu: É que, na minha opinião, existem dois tipos de pessoa. O tipo que curte passar tempo com vc e que aceitaria qualquer coisa, e o tipo que não. Se ela disser que não pode por causa do cabelo ou dos sapatos ou pq tem que acordar cedo amanhã, vcs provavelmente nunca dariam certo.
Cara do Número Desconhecido: Por incrível que pareça, isso faz sentido.
Eu: Duvido que vc tenha coragem.
Cara do Número Desconhecido: Já volto.

Coloquei o celular de lado. Depois de trinta segundos de *Patrulha Canina*, os meninos me pediram para colocar *Frozen 2* e beliscar alguma coisa. Coloquei no micro-ondas um pacotinho de pipoca que Dana tinha mandado na mochila deles e nós três comemos enquanto assistíamos a TV no sofá de couro chique de Colin.

Ainda bem que ele não estava em casa pra ver aquilo.

Colin

— Não acredito que a gente mora tão perto!

Eu também não acreditava. Era completamente inacreditável. Respondi:

— Que mundo pequeno, né?

— Nossa, total. A gente pode ir andando juntos para o trabalho quando o tempo estiver bom.

— Acho que você não ia gostar muito dos meus horários. — Nós paramos em frente à minha porta e eu peguei a chave. — Mas quem sabe?

Nem eu sabia por que eu havia decido levar Harper para meu apartamento. Nunca fui o tipo de cara que leva uma garota para casa logo no primeiro encontro, não desde a faculdade, pelo menos, então não fazia sentido eu estar fazendo isso agora. Um alarme tinha disparado na minha cabeça, chamando a atenção para o fato de que Olivia estaria lá, mas meu cérebro andava cometendo muitos erros, então do que ele entendia?

Destranquei a porta e, assim que a abri, vi Olivia de pé no sofá.

— Minha intuiçããããão!

Ela estava cantando/gritando junto com o filme na TV enquanto os dois sobrinhos corriam pela sala, também cantando a plenos pulmões.

— Minha intuiçããããão!

O mais novo nos viu e parou de correr. Olivia, no entanto, continuou pulando no meu sofá com aquela camiseta idiota do Come-Come e calças de flanela verdes.

— Merda.

Falei em voz alta sem querer, mas a porcaria da camiseta me lembrou da calcinha com "Foda-se o capitalismo" escrito na bunda.

— Quem é esse? — pergunta Harper, sorrindo para a criança.

— O sobrinho da minha hóspede indesejada.

Olivia ouviu isso. Ela girou a cabeça em nossa direção e se jogou sentada no sofá, ficando em pé depressa logo em seguida. Fechei a porta da frente; ela nos lançou um sorriso constrangido.

— Hum... *Frozen* não é demais?

— A melhor coisa já feita pelo homem — respondi.

Ela tirou os fios que caíram sobre o rosto.

— Achei que você ia passar a noite fora.

Harper, ignorando nossa interação, entrou na sala e foi direto até Olivia.

— Eu adoro. Ouvia a trilha sonora o tempo todo no carro.

— Mentira! Eu também! — Olivia abriu um sorriso simpático para minha convidada. — Meu nome é Olivia, aliás. A hóspede indesejada de Colin.

Harper me olhou com uma careta antes de dizer para Olivia:

— Sério? Você parece uma ótima hóspede.

Larguei minhas chaves no balcão. Não dava para acreditar. Harper, toda crítica e certinha, estava se desmanchando em sorrisos e conversando com Olivia como se fossem melhores amigas. Ela não deveria estar com ciúme ou fazendo perguntas ou simplesmente irritada com a presença dela?

— Alguém quer beber alguma coisa? — perguntei, indo até o armário de bebidas, sem nenhum interesse real na resposta das duas.

Para mim, a noite já tinha acabado.

— Eu aceito vodca com cranberry — respondeu Harper, quase sem pausar sua conversa com Olivia.

— Ahhhh, posso tomar um pouquinho daquela tequila da garrafa com o bigodudo? — Olivia mal olhou para mim e explicou para Harper: — Eu tomei no dia em que cheguei, desce superbem.

— Sério? — disse Harper, olhando para mim logo em seguida. — Posso mudar meu pedido?

Parei de prestar atenção enquanto as duas falavam sobre a "tequila que desce bem", porque... espera. Será que Olivia estava falando da...

— Você está falando da Rey Sol?

Ela me olhou nitidamente irritada pela interrupção.

— Não lembro qual era o nome.

Peguei a garrafa e, surpresa: estava pela metade.

— Você abriu uma garrafa fechada que não era sua?

Ela me encarou, inexpressiva.

— E daí?

— Que tipo de pessoa faz isso?

Sua expressão se fechou e ela pareceu ficar na defensiva. Colocou as mãos na cintura, dizendo:

— Não pensei que fosse ser um grande problema. Posso comprar outra pra você.

— Você tem planos de comprar outra garrafa de tequila de quatrocentos dólares?

Seu queixo caiu em choque. Pensei que ia se desculpar, mas, em vez disso, respondeu:

— Nossa, quem é idiota o suficiente para gastar quatrocentos dólares em uma garrafa de bebida?

Comecei a sentir meu pescoço ficando quente.

— Não importa qual é o preço, você deveria...

— E o rótulo é tão tosco. De quem foi a ideia de colocar um rótulo desses numa tequila cara? — Ela olhou para Harper, apontando para a garrafa. — É o oposto de um item de luxo. A tequila mais barata do bar da esquina parece mais sofisticada. Fala sério.

Eu respirei fundo e apertei a ponte do meu nariz.

— Deixa eu ver se entendi. Você bebeu meia garrafa de tequila sozinha na primeira noite aqui?

— Bom. — Ela abaixou os ombros e fez uma coisa com a boca, como se estivesse mordendo o interior da bochecha, antes de murmurar: — Na verdade, não. Eu derrubei um pouco na pia quando estava tentando abrir. Só tomei um copo.

Então Olivia tinha desperdiçado metade da garrafa. E essa não era uma tequila qualquer, mas a bebida que minha irmã comprou para mim no dia da minha formatura. A garrafa que tínhamos concordado em abrir dez anos depois, se eu não tivesse dado o braço a torcer e ido trabalhar na empresa da família.

— Como você conseguiu jogar metade da garrafa fora enquanto *tentava* abrir? Queria entender como foi possível essa façanha.

— Hum, acho que já vou. — Harper ajeitou a bolsa no antebraço e disse para Olivia: — Foi um prazer conhecer você.

Tentei não ranger os dentes ao perguntar:

— Tem certeza que...

— Obrigada pelo jantar, Colin — disse ela, sem nem sequer olhar para mim.

Ela saiu do apartamento a passos decididos e bateu a porta.

— Preciso fazer xixi — disse a criança mais velha.

— Tá bom. Lave bem as mãos — respondeu Olivia, me olhando feio.

Ela pegou o menor no colo e continuou me encarando como se eu estivesse fedendo.

— O que foi?

Ela inclinou a cabeça.

— Você não vai atrás dela?

— Por que eu iria?

— Por que você iria? — Imitou ela, como se eu fosse um idiota. — Hum, porque vocês saíram juntos e você meio que foi um punzão?

— Antes de mais nada, não fui. Eu fui um punzão com você, não com ela.

— Por causa de uma garrafa horrorosa — debochou ela.
— Foi um presente e você mexeu em uma coisa que não era sua.

Ela fez um gesto impaciente para que eu fosse direto ao assunto.

— E o que mais?
— Não ia dar certo com ela de qualquer jeito.
— Como você sabe? Ela parecia legal.
— Eu só sei.
— Ah, é verdade. Colin e seu cérebro de robô sabem de tudo.
— Eu posso ter um cérebro de robô, mas isso é muito melhor do que ser um folgada irresponsável.

Quis acrescentar "que insiste em falar com homens desconhecidos", mas ela não sabia que eu sabia disso. A ideia me tirava do sério; passei o dia inteiro nervoso pensando em um sujeito mal-encarado a seguindo pela cidade.

Ela fechou a cara e colocou o cabelo atrás das orelhas com um movimento enérgico.

— Folgada... irresponsável... muito obrigada, Colin.

Naquele segundo, alguém bateu na porta. Eram Will e a esposa, graças a Deus. Os meninos correram para a porta parecendo felizes ao ver os pais, embora três minutos depois estivessem chorando, abraçando Olivia e implorando para ficar.

Cumprimentei Will brevemente e depois fiz a melhor coisa que podia fazer: fui para meu quarto.

Olivia

— Olivia?

Ouvi o rei da grosseria me chamando da porta, sua voz meio baixa como se não quisesse me acordar caso eu já tivesse dormido. Pensei em fingir que não tinha ouvido, mas meu lado masoquista quis saber o que mais ele queria dizer.

— Pode entrar.

Ele abriu a porta devagar, entrou e olhou para mim. O rosto dele parecia sério, mas imagino que estivesse se segurando para não me zoar.

Porque eu sabia que estava ridícula.

Estava sentada no colchão inflável com as costas apoiadas na parede e as pernas esticadas. Entre minhas coxas, havia um pote enorme de pretzels que roubei de Jack e que segurava com firmeza, como se alguém quisesse tomá-lo de mim.

— Olha, Liv...

— Nem pensar. — Balancei a cabeça e apontei para o dorso dele. — Assim não vai rolar. Isso parece uma piada patriarcal, você aí, em pé na minha frente, olhando pra baixo com esse tanquinho parecendo um Deus grego, enquanto eu olho para cima do meu lugar de plebeia. Ou você senta para ficar no meu nível, ou conversamos amanhã cedo.

Colin arqueou uma sobrancelha.

— Tá bom.

Ele se aproximou, sem camisa e tão gostoso que dava raiva, e se sentou no colchão ao meu lado com uma força que quase me arremessou para o outro lado do quarto.

Eu não queria ter que ficar olhando para o volume na cueca dele enquanto a gente conversava, mas pensei que ele se sentaria na cadeira da escrivaninha ou até mesmo no chão, de frente para mim.

Não imaginei que ele se sentaria *bem do meu lado*.

Pigarreei sem olhar para baixo, onde nossas pernas se tocavam. Eu não tinha nada para conversar com o cara que disse em voz alta algo que eu sempre soube que passava por sua cabeça. Virei o rosto para ele e arqueei uma sobrancelha também.

— O que você quer?

— Eu queria pedir desculpa — respondeu ele

— Me poupe.

— Só me escuta. — A barba dele estava começando a aparecer, e ele estava muito bonito. Que raiva. Depois de uma pausa, Colin continuou: — Eu sei que a gente sempre fica pegando no pé um do outro, mas fui muito idiota. Me desculpe.

— Você pode até pedir desculpa, mas eu sei muito bem, e você também, que é isso que você pensa — respondi, abaixando o olhar para o pote de pretzels. Tracejei a tampa com o dedo.

Ele suspirou e se encostou na parede.

— Em parte.

Olhei para Colin esperando uma explicação e ele me encarou de volta. A forma como sua cabeça estava inclinada me fez prestar atenção em seu pescoço — *como era possível que um pescoço fosse atraente?* —, com aquele pomo de adão que chegava a distrair. Seus olhos azuis eram tudo o que eu conseguia ver quando ele disse:

— Você acaba sendo meio... inconsequente às vezes, mas não folgada. E estou muito impressionado com tudo o que você anda fazendo. Você já conseguiu um emprego legal, está se exercitando. Pensa bem, você e seu namorado *acabaram* de terminar e você...

— O que *você* sabe sobre meu término?

Será que todo mundo sabia o que tinha acontecido? Não sobre o incêndio — porque o país inteiro ficou sabendo —, mas sobre Eli ter me traído e descoberto que sua alma gêmea não era eu.

— Só que ele não ajudou na mudança e que você estava queimando as cartas dele. — Ele ajeitou a postura para se virar para mim, e o colchão fez um barulho estridente. — Mas o que eu quero dizer é que você está dando um jeito nas coisas de uma forma impressionante.

— Uau, eu impressionei Colin Beck.

Isso o fez sorrir.

— Tô falando sério, palhaça.

Revirei os olhos, mas não consegui conter um sorriso.

— Nunca conheci alguém tão arrogante quanto você.

O sorriso de Colin cresceu como se eu tivesse acabado de elogiá-lo.

— Agora diga que me desculpa.

— Tá bom. Dessa vez passa.

— Você não podia dizer o que eu pedi, né?
— Não.
— Tá bom. — Ele mexeu o quadril para a frente e para trás no colchão. — Não sei como você consegue dormir nessa coisa.
— É ok. Não é tão ruim para quem não está acostumado com colchões caríssimos como o seu.
— Peraí. — Colin cruzou os braços e me pegou olhando para seus bíceps, que incharam com o movimento. — Como você sabe que eu tenho um colchão caríssimo?
— Porque é a sua cara ter um. — Revirei os olhos torcendo para parecer convincente.
— E o meu cobertor estava com cheiro de perfume outro dia.
— E daí? É melhor do que ter cheiro de esgoto.
Eu retribuí o olhar inquisitivo de Colin de queixo erguido, mas algo em minha expressão deve ter me denunciado.
— Cacete, você andou dormindo na minha cama enquanto eu estava viajando, não dormiu? — Ele parecia estar chocado e achando graça ao mesmo tempo.
Colin ajeitou a postura e esperou minha resposta.
— Meu Deus, não, eu jamais faria isso. — Coloquei o cabelo atrás da orelha e murmurei: — Eu só tirei uns cochilinhos lá. Mas em cima do cobertor.
— Uns cochilinhos — repetiu ele, balançando a cabeça. — Em cima do cobertor.
— Não precisa fazer drama. Não dormi na sua cama de sapato nem nada assim, é que esse troço é uma droga — reclamei, dando pequenos pulinhos no colchão sem me levantar. — E sua cama toda arrumada estava me chamando.
Colin apenas me olhou com uma expressão meio sarcástica. Ele não disse uma palavra, como se soubesse tudo sobre mim e achasse isso ao mesmo tempo irritante e divertido.
— Ah, para. Você jamais saberia se eu não tivesse contado, então não encana com isso. — Talvez tenha sido porque eu estava

cansada, mas precisei morder o interior da bochecha para segurar uma risada. — Na verdade, isso nunca aconteceu. Eu estava brincando, nunca dormi na sua cama.

Ele balançou a cabeça devagar, contendo um sorriso.

— Nunca vi alguém mais pentelha do que você.

— É só olhar no espelho, Beck — respondi no mesmo tom, cruzando os braços.

Ele deu um grunhido — frustrado ou apenas conformado — e ficou de pé. Colin simplesmente se levantou de uma vez, enquanto eu precisava rolar e me ajoelhar e às vezes me desequilibrava para me levantar do colchão.

Ele ficou um instante me observando da porta, como se estivesse imerso em pensamentos. Depois encarou a parede acima da minha cabeça antes de voltar a me olhar e dizer:

— Então acho que nos vemos amanhã de manhã.

— Isso aí.

Coloquei o pote de pretzels no chão ao lado da cama e me estiquei para tirar a sandália. Tirei o primeiro pé e disse:

— Na verdade, vou ter um encontro às nove da manhã, um brunch.

Ele pareceu prestar mais atenção em mim depois da minha resposta.

— Ah, é? Como conheceu o sr. Brunch?

— Correndo. — Pensei no rosto de Paul e desejei ter cancelado. — Ele estava lá quando ajudei a senhorinha.

— Ah, tá — disse ele, cruzando os braços. — E por que ele não salvou ela em vez de você?

— Porque eu era capaz de fazer isso sozinha, seu machista.

— Eu vi seus joelhos. — O olhar dele foi para minhas pernas e meu estômago revirou. — Não me parecem muito capazes.

— Que seja. Você vai sair amanhã à tarde?

— Por quê?

Eu dei de ombros.

— Talvez eu queira tirar uma soneca.

Ele balançou a cabeça, e percebi que estava tentando disfarçar um sorriso.

— Fala sério, Marshall. E se *eu* quiser cochilar na minha cama amanhã?

— Pois fiquei à vontade, a cama é sua.

Seu rosto imediatamente ganhou ares sugestivos.

— É mesmo?

Cacete. Eu quis dizer que ele podia fazer o que quisesse, que eu não estava nem aí, mas acabou soando como um convite para se deitar comigo. Tentei parecer desinteressada. Tirei a outra sandália e disse:

— Mesmo. Desde que eu esteja no seu colchão de nuvem, você pode fazer o que quiser.

Colin me encarou da cabeça aos pés, e seus olhos me analisaram de tal forma que quase o senti me tocando. Depois, ele respirou fundo e soltou o ar devagar, balançando a cabeça como se não soubesse o que estava acontecendo, e saiu do quarto.

7

Olivia

— Podem vir comigo.

Fui seguindo a hostess que nos conduziria até nossa mesa tentando não cerrar os dentes quando senti a mão de Paul nas minhas costas, me guiando como se eu não soubesse me orientar sozinha em um restaurante. Quando meu alarme tocou, eu pensei seriamente em cancelar o encontro, mas aí me lembrei que tínhamos combinado de ir ao Upstream e meu apetite falou mais alto.

Assim que nos sentamos, a garçonete apareceu, mas antes que eu tivesse a mínima chance de olhar o cardápio, Paul disse:

— Vamos querer dois cafés e vamos pegar do buffet.

Era o que eu queria mesmo, mas ele tinha pedido por mim sem me consultar antes.

O que fazia com que ele estivesse completamente errado, não é?

— Vamos comer? Estou morrendo de fome. — Paul sorriu e apontou para a mesa de comida do outro lado do restaurante.

— Nossa, eu também. Vamos lá.

Eu me levantei, tentando relaxar. Só porque ele provavelmente não seria o grande amor da minha vida não significava que o encontro não poderia ser divertido.

Fizemos a festa na mesa do buffet, enchendo nossos pratos até que estivessem transbordando. Ele passou na estação de crepe, de omelete e de rosbife, enquanto no meu prato tinha um punhado generoso de bacon, dois donuts e uma montanha de batatas assadas. Quando finalmente voltamos para a mesa — onde eu tinha deixado o celular —, vi que tinha recebido uma mensagem do Cara do Número Desconhecido.

Cara do Número Desconhecido: O que está fazendo?
Eu: Não posso falar, estou num encontro.
Cara do Número Desconhecido: De 0 a 10?
Eu: É cedo para dizer. Viemos num buffet, estamos ocupados nos empanturrando para conversar.

Paul pigarreou.
Levantei o rosto e ele me olhava. Estava de boné de novo, virado para trás, e dessa vez também usava uns óculos de sol na cabeça. Eu me perguntei se ele estaria ficando careca; não que eu me importasse, mas já era a segunda vez que ele usava o boné, motivo suficiente para achar que pudesse estar escondendo alguma coisa.
Fiz uma cara de "foi mal" e disse:
— Desculpe.
Coloquei o celular na mesa e peguei o garfo.
— E aí, Paul? Me conta tudo. Onde você cresceu? O que você faz? Se você já matou alguém, se faz parte de uma seita... essas coisas.
Ele mordeu um croissant e respondeu, enquanto mastigava:
— Cresci aqui mesmo, trabalho no setor de vendas, até parece que eu ia te contar se já matei alguém, e a única seita possível é a do futebol.
Assenti e peguei algumas batatas.
— Então você basicamente é meu irmão.
Meu celular vibrou de novo. Vi de quem era a mensagem e fiquei me coçando para responder.
— Se ele for top, sim. Sua vez — disse Paul, mergulhando o crepe no ketchup. Eca?
— Cresci aqui também, escrevo para o *Times,* só cometi assassinatos justificáveis e tenho zero interação com seitas.

Conversamos sobre amenidades e Paul se mostrou ser bem legal, mas quando começou a falar sobre trabalho, não consegui não dar uma olhadinha no celular, sem deixar de sorrir e concordar com a cabeça.

Cara do Número Desconhecido: Tá viva?
Cara do Número Desconhecido: Foi sequestrada pelo cara do brunch?

Quando levantei a cabeça, percebi que Paul nem tinha notado que eu não estava prestando atenção.
— ... então é meio que temporário.
Concordei com a cabeça outra vez.
— Pode crer. Hum, eu vou rapidinho ao banheiro. Já volto.
Coloquei o celular no bolso do vestido e fui procurar o banheiro. Assim que fechei a porta, peguei o celular.

Eu: Ainda estou viva. Ele me deu aquele olhar COMO VC OUSA PEGAR NO CELULAR, então tive que guardar.
Cara do Número Desconhecido: Ele não é seu pai. Usa o celular se vc quiser.
Eu: Como vc sabe que ele não é meu pai?
Cara do Número Desconhecido: Eca. Como tá sendo?
Eu: Meh, sem graça. Tipo, ele é bonito e gente boa, mas ele me lembra um pouco meu irmão, então...
Cara do Número Desconhecido: Puts.
Eu: Puts mesmo.
Cara do Número Desconhecido: Tive uma ótima ideia.

Revirei os olhos, mas dei uma risadinha. Prossiga.

Cara do Número Desconhecido: Fica me mandando mensagens. Vamos ver quanto tempo ele leva para

reclamar. Aposto que vai ser depois de umas dez mensagens.
Eu: Não gosto de climão.
Cara do Número Desconhecido: Frouxa.
Eu: Não sou frouxa. Eu topo, mas só porque eu quero.
Cara do Número Desconhecido: Muito bem.

Voltei para a mesa sorrindo de orelha a orelha. Paul sorriu de volta, como se quisesse saber qual era a piada, mas não tinha nenhuma. Voltamos a jogar conversa fora e ele acabou se mostrando divertidíssimo quando começamos a conversar sobre cultura pop. Eu ri tanto dele falando sobre *The Bachelor*, que até pensei em deixar o desafio das mensagens para lá.

Até que...

— ... beleza, ele era esquisito, mas o movimento *Me Too* acabou saindo do controle. Tipo, o cara não pode mais ficar sozinho com uma mulher se ele for rico.

Eu mastigava meu bacon bem devagar.

— Como assim?

— As mulheres... não todas, é óbvio, mas algumas mulheres estão dispostas a inventar mentiras cabeludas só pra acabar com um cara.

Imediatamente peguei o celular. O encontro já era.

Eu: Vamos começar o jogo.
Cara do Número Desconhecido: Legal. Manda uma daquelas perguntas malucas.
Eu: Se você tivesse que escolher entre tomar banho e escovar os dentes, qual escolheria?
Cara do Número Desconhecido: Pra sempre?
Eu: Aham.

Olhei para Paul; ele estava observando a mesa ao lado enquanto mastigava.

Cara do Número Desconhecido: Acho que tomar banho...?
Eu: Vc sabe que ninguém nunca mais vai te beijar se parar de escovar os dentes, né?
Cara do Número Desconhecido: Como se alguém fosse querer qualquer coisa comigo se eu tiver cecê.

— Quer pegar mais comida? — perguntou Paul com as sobrancelhas erguidas em expectativa.

— Não, obrigada, já estou satisfeita — respondi, colocando o guardanapo no prato. — Mas vai lá.

Ele pareceu surpreso, mas se levantou e foi até a mesa de comida.

Eu: Acho que se eu tivesse que escolher entre beijar de língua alguém que não escovou os dentes ou fazer sexo com alguém meio fedorento, escolheria o segundo.
Cara do Número Desconhecido: Nem a pau.
Eu: Sério. Pensa bem. É nojento, mas se for só uma rapidinha sem grandes preliminares, talvez em uma posição sem cara a cara, é muito melhor do que lamber os dentes de limo de alguém.

Paul voltou para a mesa e se sentou com um suspiro. Sorri e revirei os olhos como se estivesse trocando mensagens com alguém *muito* inconveniente.

Cara do Número Desconhecido: Odeio admitir, mas talvez vc tenha razão.

— O que vai fazer no resto do dia? — perguntou Paul enquanto pegava ovos mexidos. Ele não estava mais sorrindo, mas ainda tentava puxar assunto. — Além de mexer no celular.

Engoli uma risada. Quantas mensagens tinham sido? Será que o Cara do Número Desconhecido tinha acertado?

— Preciso trabalhar, na verdade — respondi.

Eu: Ele acabou de reclamar. Quantas mensagens foram?

— Que chato. — Paul pigarreou e fez um gesto em direção ao meu celular. — Você está resolvendo algum assunto importante? Podemos sair outro dia, se quiser.

Ah, que droga. Ele não merecia aquilo, mesmo não sendo o meu tipo.

Eu: Não quero ser babaca. Vou só encerrar o encontro.

— Não. — Coloquei o celular na mesa e tomei um gole do meu café, que estava *muito* gelado. — Desculpe. Sou toda sua agora.

— Ah, é? — Ele sorriu. — Bom, então vamos pedir a conta.

— Meu Deus. — Eu tinha quase certeza que Paul estava tentando ser engraçado, mas não consegui forçar uma risada. — Você está brincando, né?

O sorriso desapareceu de seu rosto e ele pareceu constrangido.

— Sim, é óbvio que estou.

— Ah. Que bom. — Pigarreei e dei um sorriso sem graça — Foi o que pensei.

No fim das contas, não faz diferença se você passa muito tempo no celular quando o seu encontro acaba em discussão. Num minuto, estava tudo muito bem, estávamos conversando sobre restaurantes, mas no minuto seguinte eu estava argumentando de forma acalorada que todos os homens que gostam de lugares com garçonetes seminuas são escrotos. Como o restaurante de que ele tinha falado no café.

— Não estou falando das meninas que trabalham lá, Paul.

Eu sabia que devia deixar pra lá porque nós dois com certeza não teríamos um segundo encontro, mas aquele assunto sempre me pegava. Ainda mais depois de ele dizer que as garçonetes "gostavam da atenção".

— Se uma mulher quer usar a própria feminilidade pra ganhar dinheiro com os idiotas que estão dispostos a pagar para olhar o corpo dela, ótimo para ela. Mas os homens que decidem ir a um restaurante para comer enquanto assediam mulheres são simplesmente patéticos.

— Eu acabei de dizer que gosto das asinhas de frango desse lugar, então o que você está insinuando?

Não respondi, só lancei um olhar pra ele.

— Sério. Quero saber. — Ele estava irritado e pelo visto tinha desistido de fingir o contrário. — Acha que eu sou patético?

Ele com certeza achava que minha resposta seria não. Um cara já tinha mandado eu "me comer" naquela semana, então decidi não cutucar a onça com vara curta dando uma resposta sincera. Só peguei minha bolsa e disse:

— Sabe de uma coisa? Acho que já vou. Muito obrigada pelo caf...

— Você não vai responder à pergunta?

Arrastei minha cadeira para trás e me levantei, pronta para dar no pé.

— Acho que não é uma boa ideia.

— Você tá me zoando? — Ele balançou a cabeça e fechou a cara. — Acho que você é uma péssima feminista se...

— Meu Deus. Sim, eu acho! — respondi, empurrando minha cadeira e segurando minha bolsa próxima ao corpo. — Eu acho você muito patético. Obrigada pelo café. Tchau.

Saí do restaurante o mais rápido possível e não diminuí a velocidade até estar a uns bons quarteirões de distância. Mandei uma mensagem para o Cara do Número Desconhecido: O encontro terminou comigo dizendo que ele é patético e ouvindo que sou uma péssima feminista. #ganhei

Colin

— Oi.

Levantei os olhos do meu notebook quando Olivia apareceu na sacada franzindo a testa sob o sol. Estava usando um vestido estampado que parecia um monte de bandanas costuradas juntas. As cores vermelha, branca e azul iluminavam sua pele e faziam seu cabelo brilhar. Tive a sorte de estar usando óculos escuros, o que me dava o privilégio de poder olhá-la à vontade e passar despercebido.

— Oi. Como foi o encontro?

Eu tinha morrido de rir da última mensagem dela. Aquilo era tão a cara dela que eu poderia dizer que era um clichê. E, só para constar, aquela tinha sido nossa última conversa. O meu *ghosting* começaria *agora*. Eu não sabia explicar por que tinha interrompido o encontro dela naquela manhã; minha única justificativa era que eu queria me vingar por ela ter atrapalhado o meu encontro na noite anterior, mas eu ia parar por ali. Não seríamos mais amigos anônimos. Começando *já*.

— Foi bom. Comi bastante. — Algumas mechas de seu cabelo ganharam um tom dourado com a luz do sol.

Ela estava mentindo. Bom, estava ocultando muitos detalhes, para dizer o mínimo.

— E o cara?

Ela deu de ombros e cruzou os braços.

— Era legal, mas não faz meu tipo.

Fechei o notebook e o coloquei na mesinha da sacada ao lado da minha cadeira.

— E *qual* é seu tipo?

Ela abriu um sorrisinho e balançou a cabeça.

— Até parece que eu vou te contar. Se alguém é capaz de arruinar meu ideal de príncipe encantado, essa pessoa é Colin Beck.

— Ah, fala sério, Liv. — Por que eu queria tanto que ela me contasse? — Prometo não fazer comentários.

— Tá bom. — Ela revirou os olhos e pareceu relaxar um pouco. — Alto, bonito e o oposto de escroto. Que tal?

Ela se virou para entrar, mas se deteve e ficou olhando para o horizonte, boquiaberta. Eu segui seu olhar, ou pelo menos tentei, mas tinha uma cidade inteira à frente.

— Nossa! Que lindo! — exclamou ela.

Juro que os olhos de Olivia estavam lacrimejando e seu rosto estampava um sorriso largo que eu nunca tinha visto. Ela pegou o celular.

— Meu Deus, é tão bonito.

— O que foi?

— Está vendo aquele outdoor? — perguntou ela, fotografando alguma coisa ao longe.

A única coisa que eu estava enxergando era um outdoor do *Times* com uma ilustração divertida.

— Onde?

— Ali. — Ela apontou para o mesmo outdoor, mas então sua expressão mudou. — Hum, é uma propaganda nova do *Times*. Legal, né?

— Aham...? — Olhei de novo e parecia um outdoor como outro qualquer. — Tem algo que não estou vendo?

Ela respondeu com um sorriso orgulhoso:

— É a nova colunista sobre parentalidade. Ela é anônima, mas as colunas são engraçadas e sarcásticas, diferente do que se vê por aí. A primeira sai amanhã. Estou ansiosa para ler.

— Uau. — Cruzei os braços e me acomodei na cadeira, olhando de Olivia para o outdoor. *Óbvio.* — É você, não é?

— Quê? — Ela arregalou os olhos e depois ficou em silêncio. — Não. Lógico que não. Eu nem tenho filhos. Só estou feliz porque...

— Desembucha, Livvie. Você é uma péssima mentirosa. — Ela sempre mentiu muito mal. Não mudou nada. — Você é a Mãe 402, não é?

Ela mordeu o canto do lábio enquanto se decidia se me contaria ou não.

— Anda logo, Marshall.

— Tá bom. — Sua expressão ansiosa deu lugar a um sorriso largo e empolgado. — Sou eu! Mas você não pode contar para ninguém.

Ela se jogou na cadeira ao meu lado com um gritinho de animação.

— Como antes eu escrevia para um site de fofocas que tinha mais ou menos a ver com parentalidade, minha chefe achou que eu tinha filhos. E durante a entrevista eu não contei a verdade, mas aí minha coluna passou no teste e me ofereceram a vaga.

Pareceu a fórmula do desastre para mim.

— Jura?

— Juro. Mas é sério, isso é segredo de Estado. Ninguém pode saber.

— Tudo bem. Mas tem certeza de que quer continuar com isso? A verdade sempre vem à tona. Aposto que se você confessar agora...

— Não posso fazer isso. Está brincando? — Ela olhou pra mim como se eu tivesse enlouquecido. — É tarde demais. Eles com certeza vão me colocar no olho da rua se descobrirem.

— Você realmente acha que não vão acabar descobrindo, em uma cidade como Omaha?

Ela cruzou os braços sobre o peito, e os cantos de sua boca caíram um pouco, fazendo-a parecer preocupada.

— Você sabe como é a minha sorte, então com certeza vão descobrir. Provavelmente vai explodir na minha cara em algum momento. Mas até isso acontecer eu poderia muito bem aproveitar o meu emprego dos sonhos, não acha?

Não gostei de vê-la tão insegura. A cara de pau era sua marca registrada. Respondi:

— Você é uma jornalista incrível, Liv. Tenho certeza de que se disser a verdade vão encontrar um jeito de manter você.

Ela colocou o cabelo atrás da orelha e me deu um sorriso modesto.

— Como você sabe? A única coisa minha que você leu foi o bilhete que deixei no balcão no outro dia sobre ter encontrado o seu vizinho mal-humorado.

— Sua mãe sempre enviava os seus textos para a gente. "Quem exibiu a melhor barriguinha de grávida?"

Fofocas sobre celebridades nunca foram muito a minha praia, mas a forma irreverente como ela escrevia sobre pessoas famosas sempre me deixou impressionado.

Ela pareceu surpresa, mas então riu.

— Meu Deus. Minha mãe tem seu número?

— Quando Nancy pede alguma coisa, você tem que fazer.

— É, eu sei — respondeu ela, revirando os olhos. — Quanto à escrita, veremos.

Apontei para meu MacBook.

— Não sei como você consegue. Estou aqui há uma hora tentando escrever uma carta decente para conseguir um cliente grande, mas tudo o que escrevo sai uma porcaria.

Olivia franziu a testa e o vento soprou fios do cabelo em seu rosto.

— Pensei que você fosse um cara dos números.

Não sei muito bem por que disse isso, mas respondi:

— Esse é o problema. Eu sou.

— Deixa eu ver — declarou ela, puxando meu notebook para seu colo.

Fiquei ao mesmo tempo irritado com a total falta de respeito pela minha privacidade e encantado por ela estar tão confortável.

— Tenho certeza de que não está tão ruim.

Eu a observei lendo, me perguntando como era possível que a irmã caçula de Jack estivesse *me* ajudando com minhas questões. Seus cílios pretos estavam baixos enquanto ela olhava para a tela.

— Me manda isso por e-mail.

— Quê?

Ela devolveu meu notebook e disse:

— Pode me enviar isso por e-mail? É um ótimo começo, mas não está nada autêntico, não é *você*. Parece que um robô escreveu isso, não alguém que quer muito um cliente. Vou mudar para como *eu* escreveria e deixar o controle de alterações ligado, aí você pode aceitar ou recusar minhas mudanças.

— O que você está fazendo?

Olivia revirou os olhos.

— ... tentando ajudar?

— Mas por quê? — Livvie nunca foi legal comigo. — Nós não fazemos isso.

Olivia estava desamassando o vestido, sua boca rosada formando um pequeno sorriso.

— Você me pegou em um bom dia.

— A propósito, esse vestido é um monte de bandanas costuradas juntas? — perguntei, voltando para a nossa dinâmica de sempre.

— Óbvio que não, idiota. — Seus olhos se semicerraram, mas percebi que ela não estava brava. Ela ficou de pé e disse: — Talvez você devesse parar de se preocupar com o meu vestido e se concentrar no coletinho que vai usar hoje. Seu avô sabe que você invadiu o guarda-roupa dele?

— Corta essa. Não precisa ficar brava só porque você botou fogo em todas as suas roupas boas — Provoquei, ficando de pé e me aproximando dela. Eu sabia que isso mexia com Olivia. — Nós dois sabemos que eu fico sexy pra caramba com minhas roupas de esporte fino.

Dei uma voltinha e fui premiado com um vestígio de sorriso.

— O que nós dois sabemos é que você só gosta de usar essas roupas porque elas marcam seus músculos, seu carente de atenção.

— Sem cinismo.

Despenteei seu cabelo e ri da sua cara. Ela falava do meu corpo como se a desagradasse. Eu não era o babaca arrogante que ela achava que eu era, mas também sabia que meu peitoral não era de jogar fora.

— Só aprecie a vista, Marshall.

Três horas depois, recebi um e-mail de Liv.

```
Colin,

Você acabou não me enviando o e-mail, mas eu
me lembro da ideia geral. Como sou uma doida
obsessiva, infelizmente não consegui deixar pra
lá, então rascunhei uma nova versão. Pode usar
se quiser. Se não quiser, é só deletar.

Liv
```

Como assim? Eu não tinha enviado porque 1) não queria que ela se sentisse na obrigação de me ajudar e 2) não sabia se uma proposta de negócios era exatamente a praia dela. Cliquei no link anexado sem saber o que esperar, com receio de ter que mentir para ela e dizer que usei a carta.

Mas assim que comecei a ler... Caramba. Ela tinha arrasado.

Olivia pegou minhas palavras rígidas e fez com que soassem descontraídas e profissionais ao mesmo tempo. A carta estava calorosa e sutilmente persuasiva. Ela provavelmente passou algumas horas trabalhando naquilo, porque estava perfeita.

Coloquei as mãos na cabeça e respirei fundo, aliviado. Estava pronta para ser enviada.
Graças à Olivia.
Eu respondi ao e-mail:

```
Liv,

Ficou incrível. Você é minha heroína. Te devo
uma. TE DEVO MIL! Obrigado.

Colin
```

Olivia

Assim que acordei na manhã seguinte, peguei meu celular e abri o site do jornal. Ver minha coluna com aquele logo tão profissional deixou as coisas mais oficiais, parecia até que outra pessoa tinha escrito. Li três vezes, depois coloquei meu tênis, corri até a banca mais próxima e comprei cinco jornais. Eu não fazia ideia do que fazer com todos eles, ainda mais considerando o fato de que ninguém sabia que a coluna era minha, mas por algum motivo pareceu importante comprá-los.

Fiquei tão animada que tive que mandar mensagem para o Cara do Número Desconhecido, apesar de ele não ter dado tido sinal de vida desde o brunch no dia anterior.

Eu: Sei que você não sabe dos detalhes e que sumiu de repente, mas não ligo porque estou muito feliz! Lembra daquela entrevista que eu te disse que tinha conseguido por causa de uma mentira?

Esperei dez segundos antes de mandar: Ah, é mesmo, você não está aí. Bom, enfim, deu tudo certo e hoje é o primeiro dia!

Não fiquei esperando porque sabia que ele não responderia.

Quando voltei para o apartamento, Colin estava na cozinha comendo um bagel e lendo o jornal. Vestia um terno cinza impecável e uma gravata preta com bolinhas brancas e seu perfume era quase pecaminoso; ele parecia ter saído de uma capa da *GQ*.

Colin tinha me chamado de "heroína" — o que fez eu me sentir a pessoa mais incrível do mundo —, então dei um meio sorriso quando ele ergueu o olhar para mim.

Jack comia uma tigela de cereal perto da pia e disse:

— Eu diria que a gente já assina o jornal, mas a assinatura só nos dá uma cópia, e você pelo visto precisa de várias.

Fechei a porta e atirei os sapatos pra longe. Droga. Como eu explicaria a pilha de jornais? Felizmente, não precisei; Colin colocou o bagel no balcão e disse:

— Eu li sua resenha sobre aquele restaurante novo. Mandou bem. Me deixou com vontade de comer bife.

Olhei para ele com gratidão e fiquei animada ao saber que algo com meu nome havia sido publicado naquele dia. Estive tão empolgada com a Mãe 402 que me esqueci da inauguração do bistrô.

— Obrigada. Talvez meus pais finalmente acreditem que tenho um emprego agora que meu nome está impresso em papel.

Colin levou a xícara à boca.

— Eles vão ficar muito orgulhosos.

Jack soltou um riso debochado; ele sabia como nossa mãe era.

— Por eu ter escrito um artigo de quinhentas palavras sobre um restaurante que coloca uísque em todos os pratos? Acho que não. — Cheguei mais perto e roubei um pedacinho do bagel de Colin. — Mas acho que vão sossegar por um tempo.

Assim que senti o gosto do bagel, fiquei amargamente arrependida; Colin me observava com atenção. Ele tinha passado algum tipo de manteiga de amendoim integral ou sei lá o quê, o que me fez querer cuspir na pia, mas isso destruiria por completo minha ousadia, então engoli na marra.

Ele disse:

— Ah, eu li aquela coluna da Mãe 402 que você mencionou. Você tinha razão.

Meu coração acelerou. Não por ser minha identidade secreta e eu não queria que Jack descobrisse, mas porque Colin leu algo importante para mim. Continuei encarando o bagel preocupada e um pouco ansiosa para saber sua opinião.

— É?

Ele enfiou o último pedaço na boca e mastigou antes de dizer:

— Sim. Eu não dou a mínima para parentalidade, mas o artigo é hilário.

Tentei, realmente tentei, mas não consegui não sorrir.

— Eu disse!

Jack colocou sua tigela na pia e pegou o suco de laranja, completamente alheio à nossa conversa não dita.

Colin abriu um sorriso travesso; seus olhos brilhavam. Então esfregou uma mão na outra para tirar os farelos e levou o próprio prato até a pia.

— Você vai trabalhar daqui ou do café?

— Daqui, acho. — Eu estava cansada demais de fãs de restaurantes questionáveis ou de Marvin Gaye para voltar para um café tão cedo. — Mas não vou trazer criança nenhuma para cá hoje, palavra de escoteira.

Colin franziu a sobrancelha.

— Você não foi expulsa das escoteiras?

— Depois de duas semanas — murmurou Jack.

— Fica quieto, Jack. — Eu tinha me esquecido disso. — Não foi minha culpa se aquela garota bateu com a cabeça no cano e desmaiou. Eu só estava chutando minha bola, o resto foi uma série de incidentes.

Aquilo fez Colin sorrir.

— Um caos ambulante desde sempre.

Revirei os olhos.

— Você não tem que ir pro trabalho, não?

— Tenho.

Ele entrou no quarto e voltou alguns segundos depois com uma bolsa de couro no ombro. Não sabia como ele conseguia ficar tão impecável, tão perfeitamente lindo. Senti um frio na barriga só de olhar para ele.

— Parece que está indo trabalhar no banco, Beck.

Ele levantou uma sobrancelha e sorriu.

— E você parece ter desistido completamente, Marshall.

— Bom — comecei, mas deixei meus olhos vagarem por seu rosto e pela curva suave de seus lábios —, tenha um dia.

— Tenha um dia você também — respondeu ele, indo rumo à porta.

Ele saiu e eu fiquei lá, parada, olhando para a porta por uns trinta segundos enquanto me perguntava como seria, como *ele* seria...

— Que porra foi essa? — Jack estava me encarando com o nariz franzido como se eu estivesse cheirando mal. — Vocês não se odeiam mais?

Eu dei de ombros e peguei o suco de laranja de sua mão.

— Sim, mas não tanto quanto antes.

As coisas ficaram assustadoramente boas depois disso.

A coluna decolou. Nas semanas seguintes, mais outdoors foram instalados, mais propagandas surgiram e, no geral — caramba —, o público pareceu gostar muito dos meus textos. Sim, muita gente achava a Mãe 402 desbocada e sarcástica demais, mas a maioria das pessoas parecia gostar dela.

Eu mal podia acreditar.

Estava completamente realizada na minha vida profissional. As resenhas e entrevistas assinadas com meu nome real somadas ao estímulo criativo das colunas da Mãe 402 me deixavam em êxtase e eu mal podia acreditar que era paga para fazer aquilo.

Foi inacreditável.

Quando Glenda enviou flores para me parabenizar por nosso sucesso, chorei por uma hora. Em parte porque me sentia culpada demais por enganá-la, mas principalmente porque estava tão feliz que isso me dava crise de ansiedade.

Porque era eu, Olivia Marshall.

Deixar a vida me levar nunca deu muito certo.

Minha única reclamação era que o Cara do Número Desconhecido estava me dando *ghosting* de novo. Eu ainda mandava mensagens para ele como uma forma de falar comigo mesma, de lançar meus pensamentos no vazio, mas estava quase certa de que ele tinha sumido para sempre.

Por que isso me incomodava? Ele era um completo estranho, pelo amor de Deus. Minha vida estava enfim entrando nos eixos, eu não deveria me preocupar com isso. Mas à noite, quando não conseguia dormir, ficava deitada na cama tentando entender o que teria acontecido. Foi minha culpa? Será que eu era irritante? Será que ele ficou de saco cheio?

Ou será que o problema era ele? Será que era casado? Será que tinha sido assassinado? Ou estava concorrendo a um cargo político?

Eu tinha começado a aceitar o fato de que nunca saberia, mas havia uma pequena parte de mim que não conseguia superar isso. Eu *sentia falta* do meu amigo anônimo, o que soava bobo, mas não podia negar. Por sorte, tudo na minha vida estava dando certo, ou eu teria ficado totalmente arrasada.

Colin

— Marshall.

Olivia levantou os olhos do notebook com os óculos na ponta do nariz.

— O quê?

Ela estava no sofá com aquela calça de flanela ridícula e o cabelo preso para cima no que em algum momento devia ter sido um coque.

Era meia-noite. Jack já tinha ido para a cama e eu não conseguia mais manter os olhos abertos em frente à TV. Liv, por outro lado, parecia muito concentrada em alguma coisa.

— O que está fazendo? Seus dedos estão parados, então não está escrevendo.

— Não mesmo — respondeu ela, esticando as pernas. — Estou procurando apartamento. Fiquei tão à vontade aqui que me esqueci de procurar um lugar, e faltam poucos dias para você me chutar para fora do prédio.

— Eu não sou um monstro. Posso deixar você ficar mais um dia inteirinho, se você for legal comigo.

Ela me lançou um olhar.

— Não preciso dos seus favores. Só preciso encontrar um lugar decente que não peça um depósito muito alto.

— Ainda está juntando dinheiro depois do incêndio?

— Aham. Ganho o suficiente para pagar o aluguel, mas não tenho uma fortuna para o depósito.

— Pedir emprestado para os seus pais não é uma opção?

— Prefiro morar na rua — respondeu ela enquanto olhava um site de anúncios. — Eu pedi cem dólares emprestados para eles na noite em que voltei e minha mãe mencionou isso literalmente todas as vezes que conversamos.

— Você não pagou de volta?

— Paguei. Eu sei como ela é, então paguei de volta cento e cinquenta dólares.

— Não comprou o silêncio deles?

— Nem mesmo por uma hora.

Dei uma risada. A mãe dela era meio difícil de lidar. Eu adorava Nancy, mas ela me lembrava um personagem de *Seinfeld*. Eu me sentei no braço do sofá ao lado de Olivia e espiei a tela do notebook.

— Rua 108 com a Q? Achei que você preferia morar no centro.

Desde que veio morar aqui, eu tinha a impressão de que Olivia passava mais tempo olhando para a cidade do que fazendo qualquer outra coisa. Tínhamos isso em comum, um encanto absoluto pela vida no centro.

— Eu não tenho dinheiro para isso, tudo aqui é caro demais, então essa gatinha aqui vai ter que se contentar com bairros mais afastados.

— Tem alguns lofts disponíveis aqui nesse prédio, você já deu uma olhada?

— Acho que sim...?

— Dá aqui. — Eu a empurrei e me sentei ao seu lado, pegando o notebook.

— Ei!

Alguns cliques e lá estava meu prédio. Passei o mouse sobre a planta do loft.

— Viu? São lofts, e o segundo andar pode ser usado como quarto, então acaba virando um apartamento de um quarto.

— Olha só o tamanho desse pé-direito. — Ela se aproximou e encostou em mim. Senti o cheiro do shampoo (meu shampoo) no seu cabelo. — Caramba, são excelentes!

Balancei a cabeça, concordando. A empolgação dela me fez sentir falta da Sem Querer. Embora ela fosse Olivia e a gente se visse todos os dias, eu sentia falta do que pensava que aquilo poderia ter sido.

— E não é muito caro. Mas tenho certeza que eles devem pedir um depósito estratosférico. — Ela franziu a testa.

— Tenta. Nunca se sabe.

Ela me olhou de lado e me deu uma cotovelada de leve.

— Não acredito que você quer tanto que eu more aqui.

Eu a empurrei, derrubando-a no sofá.

— Estava sendo legal, mas agora que você falou, bem pensado. Talvez ter seu azar aqui no prédio não seja a melhor das ideias.

— Não. Tarde demais. Já estou mandando o e-mail.

— Pelo amor de Deus, não.

— Ah, sim! — Ela sorriu e empurrou minha perna com o pé, ainda na horizontal. — Se der certo e eu conseguir pagar, vou vir aqui o tempo todo. Acho que vou até tentar um apartamento em um andar mais alto que o seu para ficar jogando coisas na sua sacada.

— Sua cara mesmo.

Ela se sentou e ajeitou os óculos no rosto.

— Posso até treinar pombos para cagar nos seus móveis chiques lá de fora.

— Até parece que você sabe fazer isso.

— Você não sabe se eu não sei.

Ela pegou o notebook de volta e clicou no link para mandar uma proposta.

— Não vai adiantar nada, mas vou tentar só para você se arrepender de ter me ajudado.

— Por quê? — perguntei, rindo.

— Não faço a menor ideia — respondeu ela, sorrindo. Algo na familiaridade daquele sorriso me fez prestar atenção no seu lábio inferior. — A gente sempre foi assim.

— Pois é.

Eu me levantei e me afastei. A última coisa da qual precisava era acabar me encantando pelo charme divertido de Olivia e me esquecendo de quem ela era. *A irmã de Jack, a irmã de Jack, a irmã caçula de Jack Marshall, seu imbecil.*

— Ligue para eles amanhã e peça pra falar com a Jordyn. Ela é ótima e pode mostrar o apartamento.

— Jordyn, hein? — Ela ergueu as sobrancelhas em um gesto sugestivo. — Ela é gatinha?

— Gatinha e grávida. — Desliguei a TV com o controle remoto e depois o coloquei na mesa de centro. — Boa noite, Liv.

E antes que eu fechasse a porta do meu quarto a ouvi dizer:

— Bons sonhos, Colin.

Antes de colocar meu celular para carregar, mandei um e-mail para Jordyn da imobiliária. Eu não ia me meter muito porque Olivia definitivamente não era problema meu, mas se ela precisasse de uma referência para conseguir um apartamento legal, eu não me importaria em ajudar.

Além disso, eu estava devendo uma pra ela depois da carta que tinha escrito por mim.

E quanto mais rápido ela encontrasse um lugar para morar, mais rápido sairia do meu pé.

9

Olivia

Passei o dia seguinte inteiro procurando apartamento, mas o problema era que eu já tinha visto um loft no prédio de Colin.

Era minúsculo, mas perfeito: tinha eletrodomésticos novos, piso novo, teto legal e o segundo andar tinha até um closet e uma banheira pequenininha. Parecia muito mais espaçoso do que realmente era. E, além disso, a vista da cidade fazia eu me sentir viva. O aluguel era viável, mas a exigência de renda mínima provavelmente faria com que eu fosse descartada das opções.

Eu vi outros dois no centro da cidade que pareciam cativeiros e não estavam dentro do meu orçamento. Então fui me afastando mais do centro, dando uma olhada em apartamentos antigos, e, antes que eu percebesse, estava a dois quarteirões da casa dos meus pais.

Isso é que é azar.

Mas como eu estava por perto, decidi passar lá.

— Mãe?

Abri a porta da frente e entrei. Meus pais só trancavam a casa à noite então nunca tive que me preocupar com chave.

— Mãe? Cadê você?

— Aqui no porão.

Desci as escadas achando que encontraria minha mãe vendo TV sozinha, mas na verdade ela estava acompanhada por quatro senhoras da igreja. Ellie, Beth, Tiff e uma rabugentinha que sempre me olhava com desconfiança, como se eu estivesse prestes a roubar o dízimo da igreja.

— Ah. Oi, pessoal. Tudo bem?

Sorri e desejei não estar usando minha calça jeans justa e uma regata que dizia *Summer Girl*. Agora que eu tinha um emprego podia comprar roupas novas, mas trabalhar remotamente me deixou preguiçosa e totalmente desleixada.

— O que está fazendo aqui, querida? — perguntou minha mãe com um olhar suspeito. Depois acrescentou: — Você não foi demitida, né?

— Por que você pensou logo nisso? — Cerrei os punhos para me controlar e não ser grossa na frente das amigas dela.

— Porque estamos no meio da tarde, querida — disse ela, me examinando da cabeça aos pés, reparando em cada defeito. — E você está vestida como se não tivesse mãe. Precisa de dinheiro para comprar roupas?

Era um verdadeiro teste de paciência.

— Não, mãe, eu tenho dinheiro, mas obrigada. Só não tenho tempo para fazer compras porque tô trabalhando muito.

Pronto.

— Ah, é verdade, seu pai está guardando seus artigos. Ele gostou muito daquele sobre a churrascaria que põe bebida alcóolica em tudo.

Senti o suor se acumular sobre meu lábio superior enquanto as amigas de minha mãe olhavam para a grande decepção que eu era.

— Mas vocês viram aquela coluna nova da mãe anônima? — perguntou minha mãe, inclinando-se para mais perto de Tiff. — Não sei o que esse pessoal do jornal tem na cabeça.

Agora eu estava suando na testa também.

Ela continuou.

— Pensei que ia ser bom depois de toda aquela publicidade, mas é só uma jovem sabichona que gosta de ser engraçadinha em vez de falar coisas úteis.

Eu respirei fundo. Tiff disse:

— Não fale assim, Nancy. Eu achei muito engraçada.

— Eu também — concordou Beth.

— É bem diferente, isso com certeza. Mas eu adorei — adicionou Ellie.

A rabugentinha apenas me olhava como se ainda estivesse tentando decidir se eu era uma delinquente, mas ignorei. Dane-se ela, as outras curtiram meu trabalho.

— Bom, tenho que ir. Estou olhando apartamentos aqui perto, por isso vim dar um oi. Mande um beijo para o papai — pedi, tirando minhas chaves do bolso.

Minha mãe fez uma cara de desgosto.

— Você mesma poderia mandar, se ligasse de vez em quando.

— Eu não ligo para ninguém — respondi, mordendo o lábio. — Odeio falar ao telefone.

— Que tipo de pessoa odeia falar ao telefone? — Minha mãe olhou para as amigas como se estivesse falando de um assassino sociopata. — Sua geração esqueceu completamente o que são bons modos.

Forcei um sorriso amarelo.

— Bem, esta garota sem bons modos precisa ir. Até depois, mãe.

— Você deveria vir comer macarrão no domingo.

— Tá bom. — Um domingo de bons modos e macarrão. Eu mal podia esperar. — Tchau.

Visitei cinco apartamentos em seguida, depois parei na Target para comprar algumas coisas e umas duas roupas que não fossem da minha época de escola. Já escurecia quando cheguei em casa, e eu estava exausta. Guardei minhas compras e imediatamente me enfiei em um pijama e me joguei no sofá. Jack estava na casa de Vanessa, sua nova "amiga", e Colin parecia já estar dormindo, porque não ouvi nenhum barulho vindo de seu quarto. A sala era toda minha.

O que foi bom porque eu estava três episódios atrasada com *90 Dias Para Casar*. Eu me deitei e liguei a TV, mas acabei me distraindo com o celular e as redes sociais. Acompanhava obsessivamente os comentários que os leitores faziam sobre meus artigos, dando F5 na página de três em três minutos.

Eu já estava no meu quinquagésimo F5 quando notei que tinha uma mensagem de voz na minha caixa postal. Normalmente eu nem ouvia os recados, porque, como tinha dito à minha mãe, odiava falar ao telefone. Mas aquele era um número que eu não conhecia, então cliquei para ouvir.

Oi, Olivia. É a Jordyn, da imobiliária. Deu tudo certo com seu cadastro. Por favor, me ligue amanhã para conversarmos sobre o contrato e a data da mudança. Obrigada.

O quê? Eu não estava acreditando. Ouvi a mensagem outra vez. Meu Deus! Eu ia mesmo morar em um apartamento perfeito pagando o mesmo aluguel de todos os cativeiros que eu tinha visitado?

Corri até a porta de Colin e bati com delicadeza.

— Colin?

Eu não queria acordá-lo, *mas queria muito acordá-lo*. Estava animada demais, e como não tinha nenhum amigo na cidade, não havia ninguém com quem poderia conversar além dele.

Ele abriu a porta vestindo uma calça chique e uma camisa desabotoada com a gravata solta.

— Adivinha? — Pensei no apartamento e não consegui não gritar. — Consegui o apartamento!

— Mentira! É sério? — Ele abriu um sorriso largo que era tipo o modelo para todos os outros sorrisos. — Parabéns!

Dei um gritinho de novo e de repente estávamos nos abraçando. Era um abraço amigável, um abraço de comemoração, mas, assim que nos tocamos, meu cérebro entrou em curto-circuito com a sensação das mãos de Colin na minha cintura.

Com o cheiro de seu pescoço.

Com a musculatura de seus ombros.

Eu me afastei, mas, assim que fiz isso — caralho —, ele me encarava, sério, com aqueles olhos azuis. Passei a língua no lábio inferior, pronta para falar qualquer besteira para aliviar o clima, quando as mãos de Colin seguraram meu rosto e a boca dele encontrou a minha.

Não houve ensaio, não houve hesitação, não houve olhares sugestivos para a boca um do outro. Não. Foi para valer.

Meus dedos seguraram a camisa branca de algodão que cobria seus ombros enquanto sua boca devorava a minha como uma fruta doce e madura. Seus lábios eram ferozes e famintos, me provocavam e me faziam gemer, mas a maneira como ele segurava meu rosto me dava a certeza de que a escolha era minha.

Virei ligeiramente e me apoiei contra a estrutura da porta para que ele pudesse encostar o corpo no meu.

E foi o que ele fez.

Aquilo era fogo, paixão e desejo. Senti vontade de envolver as pernas em sua cintura e tomar a decisão mais idiota do universo.

Mas.

— Colin — ofeguei entre beijos. — O que estamos fazendo?

— Caralho, Liv. Não faço ideia — respondeu ele enquanto me beijava em um ritmo febril, roçando a barba por fazer em minha pele de forma prazerosa.

Coloquei as mãos em seus braços — aqueles bíceps, meu Deus — e os segurei.

— A gente... — *Aquela língua.* Que droga. — ... devia parar.

— Eu sei. — Ele passou a língua pelo lóbulo da minha orelha e eu senti um arrepio percorrer meu corpo. — Por que estou beijando a pessoa mais irritante que conheço?

Afundei as unhas na pele dele enquanto sua boca fazia coisas pecaminosas.

— Porque eu sou irresistível, seu convencido de uma figa.

— Você é quem está dizendo.

Então sua boca estava na minha outra vez e ele estava me pressionando contra o batente da porta de um jeito que me fazia sentir tudo. Cada. Centímetro. Do. Seu. Corpo.

Eu estava prestes a morrer.

— Colin. É sério. — Afastei minha boca por tempo suficiente para repetir: — O que estamos fazendo?

Nesse mesmo instante ouvimos as chaves de Jack na fechadura, então nos separamos depressa. Olhamos um para o outro e ele disse:

— As coisas não precisam ficar estranhas, tá? A gente ficou animado e meio que se deixou levar. Nada de mais, beleza?

Eu assenti e toquei minha boca, tentando não olhar para o peito nu que estava pressionado contra meu corpo segundos antes.

— Beleza.

Jack entrou no apartamento com uma sacola de Taco Bell e foi direto para a mesa. Ele mal olhou para nós antes de se sentar, então murmurei um "boa-noite" e fui para o meu quarto.

Colin

Porra. Aquilo realmente tinha acabado de acontecer?

Troquei de roupa e nem me dei ao trabalho de guardá-la, jogando-a na cadeira perto da janela, de tão nervoso. Andei pelo quarto como um animal enjaulado, desesperado com o que tinha acabado de fazer.

Eu beijei Olivia.

Beijei a irmã mais nova do meu melhor amigo como o babaca que eu sou. Por quê? Ah, sim, porque ela *me abraçou*. Eu sou tão fraco que o perfume no pescoço dela e a sensação das mãos dela nos meus ombros me fizeram perder a cabeça.

O que eu estava pensando?

Jack me mataria se descobrisse, e eu não tiraria a razão dele. Eu o vi ficar furioso com caras dando em cima de Olivia no ensino médio, e sabia que não seria diferente agora. Se Olivia fosse minha irmã (graças aos céus por não ser), eu reagiria exatamente da mesma maneira.

A pior parte foi que, mesmo me odiando pela minha estupidez, eu não conseguia parar de pensar em *como* ela me beijou de volta. Aquele momento foi exatamente o ela havia descrito para o "Cara do Número Desconhecido". Ela gostava de coisas selvagens e desesperadas e de ser pressionada contra a parede, não era?

Aquele beijo definitivamente foi uma prévia disso.

Depois de mais uma hora me xingando, coloquei o tênis e saí para correr. Eu não iria conseguir parar de pensar nisso tão cedo, então, se eu ficasse exausto, talvez o sono viesse para me salvar dos meus pensamentos.

10

Olivia

— Não acredito no que estou ouvindo.
— Eu sei — respondi, levando duas taças de prosecco até a mesa.

Sara estava desempacotando nossa comida (raviólli frito e uma focaccia) e me encarava como se eu tivesse duas cabeças.

— Eu também não estou conseguindo acreditar — murmurei com um sorriso envergonhado.

Ela havia me ligado na noite anterior em meio ao meu surto pós-beijo perguntando se eu queria pôr a conversa em dia. Respondi algo desesperado como "Pode ser amanhã, por favor?" e ela felizmente topou um happy hour. Eu não ia contar sobre o beijo, mas, assim que ela entrou no apartamento e perguntou se estava tudo bem, eu comecei a tagarelar sobre o assunto e não calei a boca até secarmos a primeira garrafa de vinho.

— Então, hum... isso significa que tem alguma coisa acontecendo entre você e o sr. Beck? — perguntou ela, parecendo estar se segurando para não rir enquanto abria a embalagem do raviólli.

Eu me sentei e peguei um.

— Não, não, não, eu estava feliz e quis dar um abraç...
— Pode parar por aí. — Ela balançou a cabeça, pegando alguns raviólis também. — Em nenhuma situação normal um abraço amigável termina nessa pegação. Essa não vai colar.

Eu ri.

— Foi mais sexy do que uma "pegação", Sara.
Ela soltou uma risada engasgada e disse:
— Mas é sério, você sabe que tenho razão. Vocês não estavam bêbados, então provavelmente já tinha algo rolando pra um abraço de "oba, consegui o apartamento" se transformar numa preliminar.
— Tudo bem. — Coloquei o ravióli de volta no prato (estava com um cheiro esquisito) e peguei a taça de vinho. — Acho que surgiu uma certa... *tensão* entre nós de repente. Uma química, talvez. Mas eu sei que ele não gosta muito de mim.
Ela baixou as sobrancelhas.
— O quê?
— Quer dizer, acho que *agora* ele gosta de mim — expliquei, tomando um gole e me lembrando do olhar de Colin na noite anterior. — Mas isso não significa que ele me respeita. Ele só me vê como uma destrambelhada inconsequente.
Sara deu uma mordida no ravióli e ficou me olhando em silêncio enquanto mastigava.
— Estou com medo de encontrar o Colin, para ser sincera. — Percorri o dedo pela borda da taça. — Ele provavelmente está se sentindo mal por ter feito uma coisa tão idiota.
— Vocês não se veem desde o beijo?
Balancei a cabeça. Eu me sentia um pouco constrangida pelo fato de ter passado um tempinho extra arrumando meu cabelo e minha maquiagem naquela manhã para o caso de trombar com ele.
— Ele já tinha saído quando acordei.
De repente, ouvimos uma chave virando na fechadura. Senti um frio na barriga e respirei fundo, tentando parecer descontraída e espontânea.
Sara sorriu e levantou a taça em um gesto sutil de apoio moral.
— Descontraída e espontânea. Você consegue.
A porta se abriu e Colin entrou.

Meu Deus.

Será que ele consegue ser qualquer coisa além de perfeito?

Eu me permiti dar uma olhada por um segundo — olhos azuis, terno elegante, peito forte, ombros largos, pomo de adão — antes de voltar minha atenção para a focaccia sobre a mesa. Me inclinei sobre a mesa e desembrulhei o pão enquanto dizia para Sara:

— Não acredito que ainda fazem esse pão!

Vi quando ele notou nossa presença.

— Eles me disseram que eu tinha dado sorte e ligado na hora certa, porque a focaccia acaba em menos de quinze minutos todos os dias.

Sara colocou a taça na mesa e — abençoada seja — sorriu como se estivéssemos tendo o melhor momento da nossa vida.

— É bom assim?

Peguei um pedaço e depois passei o pão para ela.

— Até melhor.

— Olá.

Colin deixou a bolsa ao lado da porta e veio até a cozinha. Ele me encarou de um jeito estranho, reparando em todos os detalhes do meu rosto, como se estivesse tentando desvendar alguma coisa só com o olhar. Imaginei que estava esperando uma reação sobre o beijo ou algo assim.

— Oi — respondi. Depois olhei para Sara, fingindo normalidade. — Essa é Sara. Sara, este é o Colin, ele divide apartamento com o meu irmão.

Colin abriu um sorriso caloroso, que fez meu estômago dar um salto, e estendeu o braço para um aperto de mão.

— Prazer em conhecer você. Mas...

Sara inclinou a cabeça e sorriu também.

— Não estudamos na mesma escola no ensino médio? — perguntou Colin, colocando as mãos nos bolsos depois de cumprimentá-la. — Seu rosto é familiar.

Percebi que Sara ficou encantada com o fato de ele se lembrar dela; os dois imediatamente começaram a conversar sobre a época de escola e sobre um garoto chamado Gerbil, que vendia barrinhas de cereal escondido.

O vinho começou a me deixar alegrinha, daquele jeito aberto e brincalhão, o que me impediu de não ficar olhando Colin como uma boba enquanto ele se comportava como o Príncipe Encantado. Quando eles finalmente encerraram o passeio pela terra da nostalgia, eu disse:

— Sara, sabia que Colin tem um daqueles colchões de rico?

— É mesmo? — perguntou Sara com um riso contido.

Colin semicerrou os olhos e olhou para mim outra vez como se estivesse tentando decifrar alguma coisa. Ele deu um aceno de cabeça educado.

— Pois é.

— Que inveja — disse Sara.

Inclinei a cabeça. O que estava acontecendo? Onde estava o sabichão, o espertinho arrogante?

— Sara, ele *nunca* é legal assim — disse a ela.

— Como assim? Claro que eu sou — defendeu-se ele, coçando o queixo.

Revirei os olhos e peguei o pão.

— Você só está sendo legal porque eu vou me mudar.

— Ele é homem, nada deixa um homem mais feliz do que quando as coisas acontecem da forma como eles querem — contribuiu Sara.

Eu ri e Colin sorriu, coçando a sobrancelha.

— Ele provavelmente vai dormir com a cabeça nas nuvens quando eu finalmente for embora. — Brinquei, tomando o último gole de vinho da minha taça.

— Vestindo um terno perfeito para comemorar, sem dúvidas — continuou Sara, depois sorrindo para Colin de maneira gentil.

Colin parecia estar achando graça também. Ele foi até o balcão, pegou a garrafa de vinho e perguntou a Sara:

— Posso encher sua taça?

— Sim, por favor — respondeu ela, tão alegrinha quanto eu.

Então Colin trouxe o vinho para a mesa e perguntou para Sara alguma coisa sobre o lugar onde ela morava, enquanto eu tentava descobrir o que estava acontecendo com ele. Todo sorrisos, incrivelmente educado e tratando Sara gentilmente.

De onde tinha saído aquela simpatia?

Isso me deixava um pouco apreensiva.

Quando ele serviu Sara de novo, vi de relance seu relógio de luxo sob o punho da camisa e fui atingida em cheio por um flashback de quando ele segurou meu rosto e meu cabelo ficou preso entre os gomos da pulseira.

Mas eu nem me importei, porque Colin estava me tocando, sua boca estava na minha, e ele ofegava enquanto pressionava meu corpo contra o batente da porta.

Meu Deus.

Ele riu quando Sara fez um comentário sobre a filha dela. Era impossível não achar que ele era o homem mais charmoso da face da Terra.

O que ele estava fazendo?

Colin

Eu estava ouvindo Sara falar — bebê, marido, casa —, mas minha mente estava na garota do outro lado. Foi preciso muito autocontrole para não ficar encarando Olivia. Eu tinha passado a noite anterior acordado depois do beijo, atormentado pela culpa e pela lembrança que não queria ir embora, até que às cinco da manhã finalmente saí da cama e fui trabalhar.

Passei metade do dia com as mãos na cabeça tentando parar de pensar naquele beijo. Eu precisava de um momento a sós com Olivia para ter certeza de que estava tudo bem entre a gente, mas ao mesmo tempo não queria que ficar sozinho com ela. Qual era o meu problema?

— Com licença, garçom? — chamou Olivia com um sorrisinho embriagado. — Eu também quero mais um pouco.

— É pra já, senhora.

Senti meu sangue ferver quando olhei para sua boca vermelha e para a marca de batom na taça. *Droga, droga, droga.* Engoli em seco e servi o vinho sem conseguir dizer mais nada.

De repente eu não sabia mais como formular uma frase.

Senti os olhos dela em mim. Quando levantei a cabeça, notei as sardas no seu nariz e nas bochechas — como eu nunca tinha reparado nisso antes? —, e olhei para suas sobrancelhas franzidas. Olivia inclinou o rosto, semicerrando os olhos e piscando depressa várias vezes.

Ela parecia completamente confusa.

Eu também estou, Marshall.

Eu também estou.

11

Olivia

Uma semana depois, chegou o dia da minha mudança. Ou, para ser mais específica, *a noite* da minha mudança, porque precisei esperar o dia todo até a cera secar no chão chique do apartamento. Estávamos no meio do mês, mas o aluguel seria cobrado proporcionalmente, então não havia motivos para não me mudar.

Eu ainda não tinha conseguido agradecer a Colin por ter me ajudado, principalmente porque, desde o beijo, eu estava tentando não ficar a sós com ele. Mas tirando a estranha interação com Sara, ele parecia o mesmo de sempre.

Nem um pouco incomodado com o que havia acontecido.

Fiz o melhor que pude para agir normalmente também, mas era só olhar para ele que a lembrança vinha, o que me deixava agitada e hiperventilando. Era preciso muito esforço para não encarar aquela boca tão talentosa.

Peguei a caixa grande que tinha enchido de roupas e a empurrei até a sala. Jack estava vendo TV e Colin tinha sumido.

— Nem acredito que a gente só precisa levar uma caixa e um colchão inflável — disse Jack ao se levantar para levar a caixa até a porta. — Melhor mudança do mundo.

— Sim, todo mundo devia ter a sorte de ter todas as suas coisas carbonizadas num incêndio.

Acho que o fato de ainda não ter *coisas* para levar era uma prova do quanto eu era patética.

— Colin já desceu. Ele queria medir algum negócio.

— O que tem lá para medir?

— Eu sei lá, acho que o assoalho. Algo assim.

— Ele é muito esquisito.

— É. Eu levo a caixa e você leva o colchão? — sugeriu Jack.

— Beleza.

Colocamos tudo no elevador e apertamos o botão do meu andar. *Meu andar.* Eu estava nas nuvens. Quase corri de tanta empolgação quando saímos do elevador. Fui até a porta segurando o colchão toda desajeitada, ansiosa para entrar no meu apartamento incrível.

— Você é muito idiota — riu Jack, e logo depois tentou apostar corrida comigo, apesar da caixa enorme que segurava.

A porta estava entreaberta e eu a empurrei com o colchão inflável.

— O que foi que você veio med...

— Livvie! — Dana veio até mim e pegou o colchão inflável. — O apartamento é maravilhoso!

— Dana! Não sabia que estaria aqui!

Depois vi que Will e os meninos também estavam lá, bem ao lado de Colin. Havia também algumas pizzas e cervejas em cima do balcão.

— Legal, vamos ter uma festa?

Colin riu com meu irmão e senti as bochechas corarem.

— Trouxemos dois banquinhos para a casa nova, mas se não gostar podemos trocar — explicou Dana com um sorriso, me puxando até a cozinha.

Foi então que eu vi dois bancos altos, da mesma cor que meus armários, enfeitados com dois laços grandes.

— São perfeitos. Eu amei.

Brady veio correndo até mim e ergueu os braços para que eu o carregasse — o que eu fiz, óbvio. Kyle fez uma careta e gesticulou com a boca a palavra "cocô" para mim porque sabia que não podia dizê-la em voz alta e que aquilo me faria rir.

— Pessoal, não acredito que vocês trouxeram pizza.

Eu estava verdadeiramente emocionada por eles estarem ali para me ajudar com a mudança. Abri uma das pizzas e peguei uma fatia.

— Querem me ajudar a desempacotar a caixa?

Will franziu a testa.

— A caixa?

— Por causa do incêndio, tudo dela coube em uma caixa só — explicou Colin, parecendo se divertir.

— Não é surpresa vindo da Rainha Idiotona — murmurou Jack.

Colin e eu nos entreolhamos com um sorriso discreto, mas, antes que eu pudesse começar a sentir coisas, Kyle começou a correr pelo apartamento. Abrimos as cervejas e a mudança logo se transformou em uma reunião de amigos.

Bebemos sentados no chão e comemos pizza, rindo juntos e inaugurando meu novo lar. Apesar de todas as reviravoltas na minha vida, a primeira noite em meu novo apartamento estava sendo tão perfeita que parecia ter saído de uma série de TV.

Quando fui para a varanda mostrar as luzes da cidade para Kyle, Colin nos seguiu.

Ergui uma sobrancelha.

— Você quer ver as luzes também?

Ele apoiou as mãos no corrimão e olhou para a cidade.

— Na verdade, eu queria te agradecer.

Kyle gritou alguma coisa sobre trens e correu para dentro, fechando a porta e deixando Colin e eu sozinhos sob a luz do luar. Estava silencioso mesmo com os sons da cidade ao redor. Me apoiei no corrimão e perguntei:

— Quer me agradecer por estar me mudando?

Ele apertou os olhos ao sorrir e respondeu:

— Por ter consertado aquela carta.

Revirei os olhos.

— Você já me agradeceu, Einstein.

— Eu sei disso. — Ele se aproximou e me deu um empurrãozinho amigável com o ombro. — Mas hoje o cliente assinou o contrato.

— Mentira! Você conseguiu?

— Sim, consegui — respondeu ele, acenando com a cabeça.

— Que incrível! Parabéns!

Eu me senti radiante por saber que algo que *eu* tinha feito para ajudar Colin tinha... bom, tinha ajudado.

— Não é tão importante — disse ele, olhando para algo logo atrás de mim, mas eu percebi pela sua expressão que ele estava fingindo não se importar tanto assim.

E também notei que era, sim, muito importante.

— Bom, sendo importante ou não, você mandou bem — respondi, retribuindo o empurrãozinho.

Kyle voltou para a varanda com meu irmão. Eles tinham ido se despedir; Brady estava se sentindo cansado. Fingi estar chateada, mas a verdade é que eu estava animada para ficar sozinha.

Eu nunca tinha morado sozinha antes e mal podia esperar para começar.

Distribuí abraços e agradeci a todo mundo, revirei os olhos quando Colin disse algo engraçadinho e depois finalmente fechei minha mais nova porta.

Assim que eles saíram, corri pelo apartamento. Coloquei Prince para tocar e dancei. Fiquei olhando para a cidade da minha varanda. Visualizei os móveis que eu compraria em alguns meses, e já tinha até comprado uma mesa em promoção.

Depois de algumas horas, deitei no colchão inflável no segundo andar do loft e comecei a me acalmar. Eu estava meio que em um transe de felicidade e não conseguia dormir. Depois de rolar de um lado pro outro no colchão por um tempão, desisti e mandei mensagem para o Cara do Número Desconhecido.

Colin

Srta. Sem Querer: Eu sei que você morreu pra mim, mas não consigo dormir e você é a única pessoa que eu posso perturbar.

Suspirei. Quando é que Liv ia parar de me mandar mensagens?

Srta. Sem Querer: Acabei de me mudar para um apartamento novo e acho que estou feliz demais para dormir. É a primeira vez que moro sozinha.

Eu não sabia que esse era o primeiro apartamento dela. Olivia era tão independente que eu tinha certeza de que ela já tinha morado sozinha em algum momento depois do ensino médio.

Srta. Sem Querer: Queria que você não estivesse em coma, pq eu meio que preciso da sua idiotice para dormir. Uma pequena parte de mim quer perguntar, tipo, "eu fiz alguma coisa?", mas não sou uma carentona, então vai se ferrar se você é sensível.

Eu me sentia um imbecil por estar ignorando Olivia. Não tinha escolha, mas odiava perceber como aquilo a deixava insegura.
Meu celular vibrou outra vez. Meu Deus, ela realmente não ia desistir.

Srta. Sem Querer: Para ser sincera, não consigo dormir porque estou deitada em um colchão inflável. Uma noite ou duas num acampamento até que vai, mas já estou nessa faz um mês. Juro por Deus que demoro pelo menos um minuto inteiro para conseguir levantar de manhã de tanto que minhas costas doem.

É por isso que ela gosta tanto de dormir na minha cama.

Srta. Sem Querer: Estou pensando em arremessá-lo da sacada e dormir direto no chão.

Eu não duvidaria.

Srta. Sem Querer: Ah, você quer saber qual a coisa mais estranha em dormir no meu apartamento? Obrigada por perguntar, amigo comatoso. O mais estranho é o silêncio ensurdecedor. Ainda não tenho TV nem nada. Acho que conseguiria escutar uma barata se ela estivesse zanzando por aqui. Não tem barata nenhuma porque meu apartamento é incrível e não tem essas coisas. Mas se tivesse, eu ouviria.

Ah, merda. Não sei por que, mas me senti um lixo ao pensar em Olivia deitada naquele colchão inflável sem nenhum móvel. Acabei perdendo a cabeça e peguei meu celular antigo no fundo da gaveta da mesinha de cabeceira. Eu havia transferido todos os meus contatos para o celular do trabalho, então não usava o antigo há anos, mas a linha ainda estava ativa.

Olivia

Meu celular vibrou e meu coração quase voou pela boca.

Aí vi que não era o Cara do Número Desconhecido, era um número aleatório. Eu me senti uma idiota por ter ficado tão decepcionada. Abri a mensagem.

E o apartamento novo, mala sem alça?

A mensagem me fez sorrir. Respondi: Quem é?

Então me levantei e desci as escadas até a cozinha. Eu estava com sede e, embora não estivesse exatamente com vontade de tomar cerveja, pelo menos era uma bebida gelada. Recebi outra notificação enquanto abria a geladeira.

Colin. Dã.

Dei uma risada barulhenta no apartamento vazio. Peguei a cerveja e fechei a porta da geladeira.

Eu: Como eu ia saber? A gente já trocou mensagens antes?
Colin: Eu tenho seu contato, então imaginei que você teria o meu também. Jack deve ter usado meu celular para falar com você em algum momento.
Eu: Aham, tá. Admita que está com saudade de mim.
Colin: Com saudade do quê, exatamente? Da sua gritaria? Da sua bagunça? Da sua capacidade de sujar todas as toalhas da casa e largá-las no chão?
Eu: Falando nisso, posso pegar emprestado seu condicionador amanhã cedo?
Colin: Ah, agora você está pedindo permissão?
Eu: Não sou mais sua colega de apartamento.
Colin: E nunca foi.
Eu: Ah, verdade, eu era sua hóspede indesejada.
Colin: Pensei que você tinha me desculpado por isso.
Eu: É, mas eu quero usar seu condicionador, então...
Colin: Você sabe que agora que mora sozinha vai precisar comprar suas coisas, né?
Eu: Ai, ai. Sei.
Colin: Não é tão ruim assim.
Eu: Se você diz.

Colin: Você não me respondeu. E o novo apartamento?

Peguei a cerveja e fui para a varanda. O ar tinha cheiro de verão e ainda estava calor. Eu adorava o fato de que se me inclinasse num certo ângulo conseguiria ver as luzes de néon do Pazza Notte, meu restaurante favorito. Respondi: Perfeitérrimo. Ah, ia me esquecendo, eu já te agradeci pela indicação?

Colin: Pensei que o beijo tinha sido o agradecimento.

Quase derrubei o celular da sacada. Eu não sabia o que responder ou por que ele estava dizendo aquilo, e meu coração disparou com a menção do...

Colin: Calma. Era brincadeira. Não precisa entrar em pânico.

Revirei os olhos, mas ri, aliviada.

Eu: Vai se foder, Beck.
Colin: Achei que você é quem queria fazer isso.
Eu: Hum, se bem me lembro, foi você quem começou.
Colin: Pode até ser, mas você me deu corda, Livvie. Admita.
Eu: Bom, eu não morri de nojo. Que tal?
Colin: Se seu irmão não tivesse chegado, eu acho que a gente...
Eu: Cala a boca.
Colin: Acho que a gente iria parar na minha cama.

— Meu Deus.
Voltei para o interior do apartamento escuro, desesperada, e subi correndo até o segundo andar. Mordi o lábio e respondi: Talvez você esteja certo.

Colin: Nós dois sabemos que estou certo.

Aquilo me fez rir. Era divertido flertar com Colin. Quem diria?

Eu: Então, hum... Posso tirar um cochilo de 30 min amanhã?
Colin: Sério? Achei que minha cama era só minha agora.
Eu: Ainda não consigo dormir nesse colchão inflável, seu insuportável. Só estou pedindo 30 min qdo vc não estiver em casa amanhã. Não seja egoísta com seu colchão de riquinho.
Colin: Tá bom, você pode dormir na minha cama por trinta minutos, mas vai ficar me devendo.

Eu me joguei no colchão inflável, sentindo um frio na barriga. Virei para o lado, puxei o lençol e fechei os olhos, ainda rindo da nossa conversa e me achando a maior otária por estar me sentindo assim.

Eu: Juro por Deus que eu faria quase qualquer coisa para passar um tempinho sozinha no seu colchão. Estamos combinados.
Colin: Ah. Você sabe que seu irmão não pode ficar sabendo do que aconteceu, né?

No mesmo instante me lembrei de Jack gritando com Milo, meu namoradinho da época da escola, quando pegou a gente se beijando no jardim.

Eu: Lógico. Ele mataria a gente.
Colin: Boa noite, Olivia.

12

Olivia

— Foi muito divertido, Olivia.

Eu sorri e desejei ser atingida por um raio. Glenda me ligou para me convidar para um almoço e falarmos sobre a coluna. Foi bem legal no começo; ela era engraçadíssima e nós comemos uma pizza deliciosa no Zio's, mas então ela começou a falar dos filhos e a perguntar dos meus. Entre cada resposta vaga minha, eu tentava distraí-la com um comentário ridículo do tipo "Ai, meu Deus, aquele é o Tom Brady?".

Mas o almoço foi um lembrete gritante de que uma hora ou outra daria merda. Era só uma questão de tempo. Só que em vez de ficar sofrendo pela minha queda iminente, eu estava aproveitando a experiência.

— Foi mesmo. Vamos repetir! — respondi, terminando de tomar minha Pepsi Diet. — Obrigada pelo convite.

— Meu Deus, Glenda, não acredito que é você!

Uma mulher que parecia ter mais ou menos a minha idade apareceu e abraçou Glenda. Ela me deu um sorriso bonito — caramba, que dentes perfeitos — e perguntou a Glenda:

— Como estão as coisas?

As duas começaram a conversar e eu fiquei lá mordiscando um pedacinho da borda que tinha sobrado da minha pizza. Eu deveria ter pedido duas fatias em vez de uma. Depois de um tempinho, elas se abraçaram e a garota foi embora, então Glenda voltou-se para mim, sorridente.

— Desculpe, Liv. Ela foi minha estagiária. Não nos víamos fazia séculos.

— Ah, imagina. Não tem problema.

— Sobre o que estávamos falando? — perguntou Glenda.

Eu sinceramente não conseguia me lembrar.

— Acho que eu estava agradecendo o convite para o almoço.

— Você merece. Estamos todos muito felizes com a coluna. É exatamente o que queríamos, e até mais que isso. Bob disse que há um número considerável de pessoas sem filhos acompanhando sua coluna — contou Glenda.

— Sério? — Eu não fazia ideia de quem era Bob, mas não queria perguntar. Se "Bob" disse que as pessoas estavam curtindo, eu estava feliz. — Que notícia maravilhosa.

Ela me abraçou antes de sairmos do restaurante e disse:

— Eu sabia que estava certa a seu respeito, Olivia. Parabéns pelo sucesso.

Eu andei dois quarteirões com um sorriso no rosto, extasiada com minha sorte. Mas lá pelo terceiro comecei a me preocupar; tudo estava indo bem demais para ser verdade e as coisas não funcionavam assim para mim. Alguém ia descobrir que era eu ou que eu não tinha filhos, contaria para Glenda e tudo acabaria.

Era apenas uma questão de tempo.

Meu telefone vibrou.

Colin: Você dormiu na minha cama?

Eu sorri e respondi: São duas da tarde.

Colin: E daí?
Eu: Só alcoólatras e universitários cochilam cedo assim. Estou indo para casa agora e provavelmente vou dormir na sua cama assim que chegar.
Colin: Onde você está agora?

Eu: Acabei de almoçar com minha editora.
Colin: Que chique.
Eu: Eu sou a mais chique de todas.
Colin: Em que restaurante?
Eu: No Zio's.
Colin: Você pediu a New York King?
Eu: Prefiro comer uma pizza de cocô e vômito. Que nojo.
Colin: Vai dizer que não gosta de carne de porco?
Eu: Não, não gosto.
Colin: Podia jurar que você curtia linguiça.
Eu: Essa foi uma referência obscena a um pênis?
Colin: Não. Que mente poluída. Eu literalmente quis dizer que pensei que você gostava de comidas que um dia foram animais.
Eu: Eu não gosto de carnes misturadas e enfiadas em tripas.
Colin: Você tem mesmo jeito com as palavras, Marshall.
Eu: Eu sei!

Era estranho me dar conta de como me sentia confortável trocando mensagens com Colin. Eu não sabia como nem por quê, mas a troca de farpas era tão boa que não senti falta do Cara do Número Desconhecido nenhuma vez.

Colin ocupou o lugar dele com facilidade.

Colin: Bom, não bagunce muito minha cama, mala sem alça.
Eu: Pode deixar, só vou comer macarronada em cima dos seus lençóis.
Colin: Não me surpreenderia se você realmente fizesse isso.

Decidi ir direto para a casa dele. Meu lindo apartamento me esperava, mas eu queria tirar uma soneca antes que ele chegasse e eu perdesse minha chance. Eu não tinha devolvido a minha chave, então fui entrando como se ainda morasse lá.

Tudo estava exatamente igual, apenas um pouco mais organizado. Só tinha se passado um dia, mas eu pensei que as coisas estariam mais diferentes. Roubei um refrigerante da geladeira e fui para a cama de Colin, mas me distraí com a visão do escritório.

Estava maravilhoso.

Nenhuma roupa jogada no chão, nenhum colchão feioso, e a mesa estava superorganizada. As coisas de trabalho de Colin estavam lá novamente, havia pastas e post-its por toda parte, muito diferente de quando eu ainda ocupava o escritório. Eu não sabia dizer o motivo, mas algo na letra caprichada dele me deixou um pouco... impressionada.

Que maluquice.

Entrei no quarto de Colin e estava tudo exatamente igual à minha última sonequinha ali. A cama estava arrumada, o edredom escuro estendido sem dobras e os travesseiros afofados. Parecia uma cama de propaganda. A madeira escura do armário e da mesa de cabeceira brilhava e o quarto cheirava a madeira.

E ao perfume de Colin.

Chutei meus sapatos para longe sabendo que demoraria aproximadamente trinta segundos para adormecer quando me deitasse naquela nuvem tamanho gigante. Puxei a ponta do cobertor, me cobri e coloquei o celular para despertar dali a quarenta minutos. No entanto, quinze minutos depois recebi uma ligação.

— Hum... alô?

Abri os olhos e me sentei na cama, tentando raciocinar depois do susto de ser acordada com uma ligação.

— Oi, Olivia. É Jordyn, da imobiliária. Só queria avisar que o pessoal da loja de móveis já devolveu sua chave. Está tudo pronto.

— Hã? — perguntei, coçando a cabeça.

— O pessoal da Loja de Móveis Nebraska. Eles acabaram de fazer uma entrega no seu apartamento.

Pulei da cama de Colin e ajeitei o cobertor.

— Meu apartamento?

— Sim. Algum problema?

Peguei minha bolsa e meus sapatos do chão e abri a porta.

— Não, problema nenhum, mas não comprei nada. Tem certeza de que era para mim?

— Olivia, preciso mostrar um apartamento, então vou ter que desligar. — Jordyn parecia irritada. — Se eu puder ajudar em mais alguma coisa é só me ligar.

— Tudo bem.

Talvez minha escrivaninha tivesse chegado antes do previsto e ela tivesse errado o nome da loja.

Já no elevador, percebi que não podia ser a escrivaninha; eu tinha feito a compra na noite anterior e a encomenda vinha de um armazém em Mineápolis. Talvez Dana tivesse trocado os bancos ou coisa assim. Desci no meu andar torcendo para não ter recebido móveis de outra pessoa.

Colin

— Não acredito que você veio mesmo — disse Jillian, se recostando na cadeira de braços cruzados enquanto nossos pais saíam do salão de jantar. — Mamãe vai falar por meses sobre o dia em que o pequeno Colin finalmente veio almoçar com a família no clube de campo.

Para ser sincero, nem eu conseguia acreditar. Geralmente, evitava fazer qualquer coisa com meus pais no clube, mas minha mãe, que tinha acabado de se recuperar de um ataque cardíaco, me ligou na noite anterior, então acabei cedendo ao convite para um almoço em família.

— Pena que o papai não vai fazer o mesmo, não é?

Devolvi a notinha para o garçom me perguntando por que minha família gostava tanto daquele lugar. Era repleto de madeira maciça e gente podre de rica, tudo muito formal e pretensioso. Minha mãe e meu pai costumavam comer lá pelo menos duas vezes por semana.

— Só porque você não sabe calar a boca e fica interrompendo.

Jill era boa nisso. Ela sempre deixava meu pai falar o que quisesse e não perdia tempo tentando argumentar; eu, por outro lado, não conseguia essa proeza.

— É que me irrita ver todo mundo fazer isso. É como se ele fosse a porra de um rei. É ridículo. Que tipo de pessoa diz que "só universitário e ator desempregado tem colega de apartamento na sua idade" e não espera uma resposta à altura?

— Calma, Colin. Você precisa ser mais compreensivo. — Ela tomou o último gole de vinho de sua taça de cristal e a pousou de volta na mesa. — Papai só está sendo duro com você porque sente falta do principezinho dele.

— Acho que nosso patriarca deixou bem claro que de príncipe não tenho nada.

— É verdade. — Jillian riu. — Mas você briga com ele por qualquer coisa.

— Eu só discuto com ele sobre coisas que são importantes para mim, e quando ele me ofende de graça eu me recuso a ficar em silêncio.

Meu pai era um bom homem. Ele ia à missa toda semana, trabalhava muito, levava a esposa para passar as férias em lugares legais e contava piadas engraçadas para os amigos do golfe.

Mas eu e ele vivíamos um impasse perpétuo desde que eu estava na oitava série.

Escola pública contra escola privada: não escolhi certo do alto dos meus catorze anos. Depois que terminei o ensino fundamental, ele queria me mandar para a Escola Preparatória de Creighton, mas implorei para minha mãe, e ela apoiou minha vontade de ir para uma escola pública. Meu pai cedeu por estar muito ocupado e nada disposto a discutir com minha mãe, mas até o dia da minha formatura nunca deixou de criticar a educação horrível que eu estava recebendo toda vez que eu não tinha a resposta na ponta da língua para alguma pergunta surpresa dele sobre conhecimentos gerais.

Depois foi a universidade estadual contra a particular Notre Dame; meu pai se sente traído até hoje por eu ter me recusado a estudar na mesma faculdade que ele (e que meu avô e bisavô). Ele tentou segurar o dinheiro para me manter sob controle, mas quando você tira nota máxima no vestibular, as bolsas surgem como mágica. Consegui me livrar dele e ir para a Universidade de Nebraska com Jack.

Mas meu pior crime foi não estudar direito. Ele e os Beck antes dele trabalharam duro para construir um escritório de advocacia de prestígio. Na visão dele, eu ia deixar o sonho da família morrer porque decidi "brincar" com números e ser um contador de classe média em vez de optar pela carreira certa.

Mas não consegui. Passei a vida inteira vendo meu pai, meus tios e meu avô dedicando cada dia de sua vida ao trabalho, fazendo de tudo para conquistar poder e influência. Eles não amavam o que faziam, e sim o que poderiam ganhar com isso. Respeito, influência, riqueza e conexões.

Tudo o que eu queria era ser um cara normal que gosta do que faz. Eu adorava o desafio que os números me proporcionavam, então por que não tentar ganhar a vida assim? Essa maneira louca de ver as coisas me transformou no cara com mestrado em matemática, o desajustado da família.

Para ser sincero, foi por isso que nunca aceitei um centavo deles depois da faculdade. Eu me esforcei para me sustentar, para comprar coisas legais como o apartamento e o carro, só para provar ao mundo que a opinião do meu pai sobre minha carreira estava completamente errada.

Eu subi na vida sem a ajuda do respeitável Thomas Beck.

— Bom, eu me divirto assistindo — disse Jillian, pegando a bolsa. — Queria que você viesse mais vezes.

Meu telefone tocou e fiquei um pouco frustrado; era bom estar com minha irmã, e não queria ser interrompido. Jillian era advogada e gostava do estilo de vida dos Beck, mas de alguma forma ela conseguia manter os pés no chão o suficiente para entender o meu lado.

Tirei o celular do bolso e, quando vi que era Olivia, meu humor mudou completamente.

— Marshall — atendi.

— Beck. — Ela pigarreou. — Hum, tem uma cama aqui.

Eu me recostei na cadeira, imaginando como teria sido sua reação com a chegada da cama. Foi uma ideia maluca, mas ela estava dormindo em um colchão inflável e eu estava em dívida pela carta.

— Onde?

— Você sabe onde. No meu apartamento.

— Está falando do colchão inflável?

— Você sabe que não. — Eu percebi o quanto ela estava confusa e a ouvi murmurando para si mesma. — Mas, pensando bem, não sei onde aquele negócio foi parar.

— Foco, Liv.

— Por que tem uma cama aqui com um colchão igualzinho ao seu?

— Bom, não é *igualzinho* ao meu. O meu é personalizado.

— Você tem algo a ver com a cama no meu quarto? Foco, Beck.

— Sim. — Era pra isso ser divertido? Porque eu estava me divertindo. Olhei para Jill e ela me observava com um sorriso de lado. — Acho que eu não gosto muito de saber que tem alguém cochilando no meu quarto, então essa pareceu a melhor solução.

— Você comprou uma cama de um milhão de dólares para mim igualzinha à sua só para eu não cochilar no seu quarto?

— Você não está prestando atenção, Marshall; *não é* igual à minha. Eu nunca gastaria tanto dinheiro com alguém que corre o risco de derrubar queijo cheddar no colchão a qualquer momento.

Ela deixou escapar uma risada do outro lado da linha.

— Tudo bem. Mas o que isso significa? Vou ter que deixar você cochilar na minha cama?

— Não gosto de dormir na cama dos outros.

— Então por que fez algo tão legal?

— Não foi porque eu sou legal. Você me ajudou a conseguir um cliente enorme, mesmo não sendo sua obrigação. — Revirei os olhos para Jill como se estivesse achando a conversa ridícula. — Eu só estou retribuindo o favor.

— Entendo. — Ela soava feliz e confusa ao mesmo tempo. — Hum, mas isso também não tem a ver com sexo, né? Tipo, você comprou uma cama para mim e agora eu tenho que dormir com você?

Merda. Como se eu precisasse de mais estímulos para imaginar Liv na cama. Num dia ela era a garota mais irritante do planeta, e no outro eu sentia uma inexplicável obsessão por ela. Olivia ainda me irritava muito, mas eu não conseguia parar de pensar nela revirando os olhos e em como seu rosto ficava concentrado ao digitar cem palavras por minuto no notebook.

Baixei a voz e me inclinei para longe da mesa.

— Não, *não tem* nada a ver com sexo, mas favores por gratidão não serão recusados caso sejam feitos.

— Favores por gratidão?

— Isso.

Ela riu do outro lado.

— Bom, *muita gratidão,* Colin. Foi uma surpresa maravilhosa e acho que vou tirar um segundo cochilo na minha própria cama assim que desligar o telefone.

— Você estava...

— Ah, sim... Sua cama é ótima, por sinal.

Comecei a rir. Óbvio que Olivia tinha ido dormir na minha cama.

— É realmente muito linda a minha cama. Você deveria vir aqui ver quando chegar em casa — disse Olivia.

De jeito nenhum. Eu jamais iria até o apartamento de Olivia para conhecer a cama dela. Precisava colocar muita distância entre minha libido e a irmã caçula de Jack.

Irmã caçula de Jack, irmã caçula de Jack, irmã caçula de Jack.

— A minha é melhor — respondi.

— Tudo bem. Depois do meu cochilo vou comer sobras de pizza na sacada e comprar lençóis e cobertores on-line, então a festa vai rolar a noite toda aqui no sexto andar, caso você mude de ideia.

— Vou pensar — respondi, sabendo que não iria.

— Então tchau, Colin.

— Tchau, Liv.

Assim que desliguei, Jillian disse:

— Caramba, Colin. Quem era? Você está radiante.

Revirei os olhos e me levantei.

— Como se eu fosse contar. Vamos?

Ela ficou de pé também e empurrou a cadeira de volta para a mesa.

— Se não me contar vou riscar seu Audi e contar para a mamãe — ameaçou Jillian.

— Tá bom — concordei enquanto cumprimentava de longe alguns amigos que jogavam golfe com o meu pai. — Vou contar uma versão resumida da história, mas você tem que jurar que não vai rir.

— Isso eu não posso prometer.

13

Olivia

Olhei para a porta quando ouvi alguém batendo. Estava sentada no banquinho enquanto assistia a um episódio antigo de *New Girl* no meu notebook e comia pizza do dia anterior. Tinha ficado inspirada com o estilo adorável da Zooey Deschanel, então fiz uma maquiagem parecida.

Não deu muito certo.

Tinha passado batom vermelho brilhante e até que estava bom, mas meio vulgar. Eu poderia ser confundida com uma daquelas mulheres que comem picolé de forma hipersexualizada só para provocar os homens. Eu tinha feito até um delineado de gatinho, mas, no fim das contas, acabei ficando mais parecida com uma atriz de videoclipe de rock dos anos 1980 do que com a protagonista de uma série bonitinha que faz par romântico com Nick Miller.

Para piorar a situação, eu tinha decido experimentar calças velhas de ginástica que estavam perdidas na caixa só para ver se ainda serviam.

— Quem é?

Eu fiquei de pé e tentei avaliar quanto tempo levaria para correr até o andar de cima e trocar bem rápido de calça. Colin tinha dito que não viria e ninguém além de meu irmão e Dana sabia onde eu morava.

— Colin.

Tinha que ser.

— Não tenho pão velho, volta outro dia.

— Eu trouxe roupas de cama.

Destranquei e entreabri a porta, mas sem tirar a corrente. Ele estava de camiseta preta e calça jeans e — pelo amor de Deus — de óculos. Era tipo um nerd sexy.

— Roupa de cama para minha cama? — perguntei.

Ele inclinou a cabeça.

— Para que mais seria?

— Peraí.

Eu fechei a porta de novo para deslizar a corrente.

— Tem que prometer que não vai comentar nada sobre minha aparência.

— Mal posso esperar.

Eu abri a porta e seu rosto imediatamente se iluminou com um sorriso largo.

— Olha só!

— Não enche.

Ele entrou no apartamento segurando uma trouxa de roupa de cama e olhando para mim como se eu fosse uma atração de zoológico.

— Qual era a intenção, afinal? Um mix de Cher e Taylor Swift?

— Cher? — Peguei a pilha de roupas e a coloquei no balcão da cozinha. — De onde você tirou isso?

Ele comprimiu os lábios como se estivesse se segurando para não rir.

— A maquiagem e...

Ele gesticulou em direção a meu cabelo e meu rosto.

— Aff. — Coloquei as mãos nos quadris e tentei parecer confiante, como se não estivesse usando calças largas e uma regata comprada num supermercado. — Quer ver a cama?

Ele deu uma risadinha e voltou a me olhar. Mas foi um olhar diferente. Era um flerte, não uma brincadeira.

— Com certeza — disse Colin.

A resposta dele soou muito sugestiva, mas decidi ignorar essa parte.

— Pegue uma cerveja na geladeira e venha me ajudar a fazer a cama.

Não olhei para seu rosto enquanto pegava a pilha de lençóis e subia as escadas. Não quis dizer aquilo com segundas intenções e não fazia ideia de onde tinha vindo o convite para ele me ajudar a arrumar a cama. Que porra foi aquela? Felizmente, Colin não disse nada, e pouco depois o ouvi fechando a porta da geladeira, então ele parecia estar obedecendo.

Ao chegar no quarto, fiquei um pouco envergonhada quando vi que ao lado da cama tinha uma lata de cerveja e uma caixa aberta de cereal Froot Loops. Senti vontade de chutar tudo para baixo da cama, mas não é como se meus maus hábitos fossem segredo para Colin.

Apoiei os lençóis na meia-parede que dava vista para o resto do apartamento e passei a mão pelo tecido.

— Meu Deus, Beck. Esses lençóis são de linho?

Ele apareceu no quarto e — minha nossa! — sua beleza me deixou sem ar por um segundo. Tinha alguma coisa naqueles óculos com aro de tartaruga na ponta de seu nariz que o deixava ainda mais atraente para mim.

— E daí?

Eu sorri.

— Como você é fresco, Beck.

— É verão, Liv. Linho é perfeito nessa época. É leve e não te deixa com calor, mas são mais pesados que um lençol normal. Você vai adorar.

Eu sabia que Colin estava certo porque menti quando disse que só dormia por cima do cobertor; quando ele estava em Boston, eu me cobri com os lençóis dele. Não sabia na época que o material era a razão pelo meu encantamento com a sensação de frescor da roupa de cama.

— Prometo devolver assim que comprar um novo.

Eu tinha comprado um sofá e uma TV na Amazon; por que não acrescentar roupa de cama? Afinal, eu tinha um emprego estável agora.

— É um presente. Eu lavei depois de comprar, mas nunca usei.

— Hum, obrigada — falei enquanto abria o lençol de elástico que estava dobrado *perfeitamente*. — Mas ainda não entendi por que você está fazendo todas essas coisas legais por mim. Não combina com você. Devo chamar um médico?

— Antes de mais nada, combina comigo, sim. Eu sou superlegal.

— Menos comigo.

— Verdade. — Ele segurou uma ponta do lençol, me ajudando a esticá-lo sobre a cama. — Em segundo lugar, só estou garantindo que você não vai voltar. Se é preciso pagar por um colchão e um jogo de cama para você se mudar de vez, então vale a pena.

— Viu só? — Segurei a outra ponta do lençol e me aproximei da cama junto com Colin, um pouco distraída com a ideia de estarmos fazendo uma coisa tão íntima juntos. — Era exatamente disso que eu precisava para não me sentir culpada. Você na verdade está sendo o babaca de sempre me comprando essa cama luxuosa igual à sua.

— *Não é* igual à minha — teimou ele em voz baixa, prendendo uma ponta do lençol sob o colchão. — É uma versão muito mais barata.

— Aham, tá — respondi, imitando o movimento e indo para os pés da cama.

— Acredite no que quiser, Marshall.

— Pode deixar, Beck.

Ele pegou o lençol de cima e o balançou enquanto eu abria uma cerveja. Eu o assisti não só estender o lençol, mas também dar a volta na cama quatro vezes, esticando-o e ajeitando-o nos cantos.

Estava tão arrumado e liso que parecia ser uma cama de hotel.

Então Colin colocou um travesseiro sobre a cama e recuou alguns passos para analisar seu trabalho.

— Muito obrigada. — Eu não conseguia mais fingir indiferença porque meu coração estava transbordando de afeto por Colin. — Não ligo se você tiver feito isso só para eu nunca mais aparecer no seu apartamento. Essa foi a coisa mais legal que já fizeram por mim.

Ele engoliu em seco e eu fiquei vidrada na visão de seu pescoço se movendo. Seu corpo era tão firme, bronzeado e viril.

— Todo mundo merece ganhar um presente às vezes.

— Uau. Nunca imaginei ouvir isso vindo de *você*.

— O que isso quer dizer?

— Nada. — Peguei a cerveja e comecei a descer a escada. — Você não parece ser do tipo que dá presentes.

— Está me chamando de pão-duro? — Colin me seguiu, sua voz bem atrás de mim.

— Não, pão-duro não — respondi, apoiando a cerveja no balcão e me virando para ficar de frente para ele. — Só prático demais para pensar em presentes atenciosos.

De repente, estávamos lado a lado. Ele deu um passo, se aproximando ainda mais.

— Pois saiba que sou ótimo em dar presentes.

— É agora que você me diz que é ótimo na cama? Não preciso saber da sua contagem de orgasmos, Beck.

Aquilo o fez sorrir, mas foi um sorriso lento que começou num olhar sedutor e se transformou em algo absurdamente sexy.

— Tudo bem — disse Colin.

— Tudo bem.

— Mas você sabe que eu sou um cara de exatas.

— Fala sério, Beck.

Ele riu.

— Eu não disse nada.

— Que bom.

— Mas nós dois sabemos.

— O número?

— A possibilidade dos números.

Foi minha vez de rir.

— Acho que preciso de outra cerveja.

Colin me encarou profundamente com aqueles olhos azuis. Era como se ele me imobilizasse com o olhar enquanto nossa mente vagava por pensamentos obscenos. De repente, ele pigarreou e disse:

— Vou embora para que você possa aproveitar a cama.

Foi como levar um balde de água fria. Eu senti uma onda de decepção ao saber que ele iria embora; não tinha percebido que desejava que aquela tensão sexual se transformasse em algo mais.

Sorri.

— Tá bom, obrigada. Pelo visto você *realmente* não comprou a cama para que eu usasse com você.

Ele tensionou a mandíbula antes de se virar e caminhar até a porta, parecendo estar com pressa para sair dali. Eu o segui e, antes de alcançar a maçaneta, ele se deteve e me olhou.

— Você e eu não precisaríamos de uma cama, Liv.

Ele me encarava e tudo deixou de existir.

— Não, não mesmo.

Colin apertou a maçaneta.

— Mas seria uma péssima ideia.

— A pior das ideias.

Havia tanta tensão no ar que estávamos ofegantes, apenas um encarando o outro. Ele disse:

— Eu deveria ir embora.

— Sim, melhor.

Ele deu meia-volta e abriu a porta. Nesse instante, me ouvi dizer:

— Ou...

Colin fechou a porta outra vez e se virou para mim.

— Ou...?

Dei de ombros e me aproximei, de repente muito comprometida com aquela decisão tão inconsequente.

— Ou podemos estabelecer algumas regras básicas.
— Tipo quais? — Ele deu um passo à frente também.

Seus lábios estavam logo acima dos meus. Seu olhar era tão penetrante e intenso que era quase intimidante.

— Tipo... — Fui interrompida ao sentir os dentes de Colin mordendo meu lábio inferior, o que me fez respirar rápido. — Tipo que isso não significa nada, não vamos nos apegar, ninguém vai ficar sabendo e não vai ficar um climão entre a gente.

— Adorei suas regras.

— E nada de romantismo — decretei enquanto nos beijávamos em meio à conversa, voltando para a sala do apartamento.

— Genial. — Colin me segurou pela bunda e me ergueu no ar, e eu enlacei sua cintura com minhas pernas. — Porra, eu estava morrendo de vontade de tirar esse batom vermelho desde que cheguei.

— Com esses óculos de nerd sexy você pode tirar o que quiser de mim.

Ele riu.

— Safada.

— Talvez eu seja.

Então Colin começou a me beijar com toda a vontade, com sua língua, seus dentes e seus lábios. Levei as mãos até sua nuca e enterrei os dedos naquele cabelo.

— Antes que eu me esqueça — arfou ele, interrompendo o beijo —, essa sua calça é o negócio mais provocante que eu já vi.

— Cala a boca, seu idiota, eu não sabia que...

— Não, Livvie, é sério, você não tem ideia.

Aquilo me deixou em êxtase. Lambi o canto da boca de Colin e segurei a barra de sua camisa.

— Achei que você odiava meu tanquinho.

— Cala a boca e me ajuda.

Ele me carregou até a cozinha e me colocou sentada na ilha. Eu quase não respirava de tanta expectativa; então Colin segurou a ca-

misa e a puxou pela cabeça. Sim, eu já tinha visto seu peitoral, mas nunca pude olhar livremente. Eu encarava seu corpo hipnotizada.
— Meu Deus.
Ele era definido, com a pele bronzeada.
— Nojento, né?
Eu assenti e sussurrei:
— Muito, muito nojento.
Corri os dedos pela sua pele e de repente as coisas pegaram fogo. Foi como se nós dois tivéssemos decidido no mesmo instante que nenhum minuto seria desperdiçado. Arranquei minha regata enquanto ele chutava os sapatos para longe e logo suas mãos estavam desabotoando e as minhas abrindo o zíper.
Aquela não seria uma exploração detalhista do corpo um do outro, mas uma corrida sem desvios até a linha de chegada. Precisávamos daquilo e não tínhamos tempo para preliminares. Havia mãos por todos os lados. Nossas bocas se uniram e se recusaram a se separar.
Sussurrei em meio ao beijo com a intenção de dizer "Quer mesmo fazer isso?", mas, em vez disso, apenas falei "camisinha". Colin sussurrou algo afirmativo e começou a vasculhar os bolsos enquanto eu continuei a dominar a língua dele com a minha.
Era possível morrer assim? Eu sentia que ia morrer a qualquer momento à medida que meu coração disparava e minha respiração enfraquecia e cada molécula de meu corpo vibrava e se agitava sintonizada com Colin Beck e mais nada. Ele grunhiu quando eu usei meus calcanhares para puxá-lo para mim e xingou baixinho no meu ouvido quando mordi seu ombro.
Então — finalmente — ele estava lá, quente e duro e tão *perfeito* dentro de mim que, sem querer, cravei minhas unhas em seus ombros. Sempre pensei que arranhões fossem um clichê, mas, naquele momento, eu era fisicamente incapaz de retrair minhas garras.
Eu me obriguei a ficar de olhos abertos. Ele arfava e sua mandíbula estava tensa, os olhos intensamente fixos nos meus enquanto seu corpo me fazia sentir coisas inacreditáveis. Era surreal e tão

gostoso que a cozinha, o apartamento e o mundo inteiro desapareceram. O tempo havia parado enquanto explorávamos um ao outro na bancada de granito, e eu não sabia dizer se estávamos lá havia segundos ou horas enquanto Colin me incendiava por dentro. Minha existência inteira estava concentrada naquele momento, ali, onde estávamos juntos, e nada mais importava.

— Meu Deus, Liv. Assim — sussurrou Colin contra minha boca. — Vem...

— Não me apressa — pedi entre dentes cerrados.

Ele riu e rosnou em meu ouvido.

— Eu nunca te apressaria, Marshall. Pode demorar o tempo que for. Eu ficaria aqui pro resto da vida.

Suas palavras me deixaram em êxtase, e Colin gemeu algo que soava como *porra, porracaralhoporra* no espaço entre meu pescoço e meu ombro, apertando minha bunda com tanta força que eu tive certeza de que ele deixaria uma marca ali.

Quando Colin finalmente levantou a cabeça, me deu um sorriso de lado.

— Acabamos de batizar sua cozinha?

— Sim. — Peguei minha blusa pendurada na torneira da pia. — Um dia, quando minha mãe vier aqui sem aviso e colocar a bolsa nesse mesmo lugar, vou sorrir sabendo o quanto ela ficaria perturbada pelo que acabou de acontecer.

Colin

Mas que porra que eu acabei de fazer?

Abri a geladeira de Olivia e peguei uma das três latas de cerveja que sobraram da noite da mudança. Tentei manter a calma, mas a verdade era que eu estava prestes a entrar em colapso.

Eu transei com Olivia Marshall.

Eu *transei* com Olivia Marshall, a irmã mais nova pentelha de Jack.

O que eu tinha na cabeça? Jack ia me matar, e com razão. Eu me sentia o maior babaca do mundo. Estava decidido a *não* descer para ver a cama, mas, por alguma razão, depois do trabalho, meu pau convenceu meu cérebro a levar a roupa de cama e simplesmente ir embora.

Até parece.

Assim que Olivia saísse do banheiro, eu a convenceria de que aquilo era um grande erro, imploraria para que ela não contasse nada para ninguém e depois eu daria o fora.

Merda.

Talvez eu devesse me mudar. Para outro país.

Eu estava no meio do meu caos mental quando ela voltou para o quarto. E quase me engasguei com a cerveja.

Porque... *caralho.*

Ela vestia apenas a regata, que ia até a altura das coxas. Seu cabelo comprido e escuro estava uma bagunça e ela parecia ter acabado de sair da cama. Ela me deixou sem fôlego, ainda mais quando me deu seu sorrisinho habitual.

— Precisamos conversar, Beck. Vamos respirar um ar puro.

Ela virou as costas e desceu em direção à sala, então eu a segui, obediente. Cerrei minha mandíbula com força, me forçando a olhar para seu cabelo em vez de sua bunda perfeita enquanto andava.

— Que bom que disse isso — murmurei, acompanhando-a quando ela saiu para a sacada.

Fechei a porta de vidro e ela se apoiou na grade para olhar a cidade. Não resisti e olhei para baixo, mas estava escuro demais para ver qualquer coisa que não fossem suas costas.

Droga.

— Não sei o que a gente estava pensando — disse ela com a voz meio rouca na escuridão. — Mas acho que nós dois concordamos que foi um grande erro.

Eu me sentei na cadeira instalada na sacada e disse:

— De acordo.

— Acho que também concordamos que Jack não pode ficar sabendo disso.

— Jamais.

Uma buzina soou lá embaixo. Eu cruzei os braços sobre o peito e me perguntei como Olivia não estava congelando ali fora. Era uma noite gelada nada comum para a época, mas ela estava de calcinha e regata como se fosse uma noite quente de verão.

— Ótimo — disse ela.

Ela pigarreou e se voltou para mim com um sorriso; seu rosto estava iluminado pelas luzes do apartamento.

— Então, hum, acho que você deveria ir embora para deixarmos esse erro no passado.

Por alguma razão, o sorriso me irritou. Mesmo que eu concordasse com ela, a forma como Olivia sorriu e me mandou ir embora não me agradou. Então respondi:

— Eu *poderia* ir embora agora mesmo, mas não sei se quero.

— O quê? — respondeu ela, franzindo a testa, como eu imaginei que faria.

Inclinei a cabeça e a olhei dos pés à cabeça, sem pressa. *Droga, droga, droga. Talvez não tenha sido uma boa ideia.*

— Pense bem. O erro já foi cometido, nós transamos. Então se a gente transasse de novo na mesma noite, ainda contaria como o mesmo erro.

Ela pareceu processar a ideia e depois cruzou os braços.

— Não conta, não.

— Quer dizer que cada transa é um erro isolado?

— Sim — disse Olivia, cruzando as pernas, o que a deixou de alguma forma mais atraente.

— Então se a gente subisse para o seu quarto agora e transasse quatro vezes e depois decidisse abrir o jogo com o Jack, você acha que o certo seria dizer para o seu irmão, "Olha, nós transamos quatro vezes" em vez de "Nós transamos"?

Olivia revirou os olhos; eu sabia que ela estava com vontade de rir.

— Não seja idiota.

— Então você concorda comigo?

— Mais ou menos. — Ela sorriu, embora balançasse a cabeça. — Concordo que equívocos sexuais podem ser considerados *por sessão*, em vez de *por orgasmo*, mas ainda assim isso não significa que...

— Vem aqui, Marshall. — Ela estava a dois passos de distância de mim, mas mesmo assim não era perto o bastante. — Você está longe demais.

Seu sorriso mudou e se tornou provocativo quando ela relaxou os braços e diminuiu a distância entre nós. Mas Olivia não parou na minha frente simplesmente, ela continuou se aproximando até ficar entre meus joelhos e eu precisar levantar o rosto para encará-la.

— O que estou pensando é o seguinte... — comecei.

Segurei sua cintura em um aperto firme e então — meu Deus... — Olivia se sentou no meu colo como se fosse a coisa mais natural do mundo.

— Manda — disse ela.

Minha indecisão acabou ali. Qualquer dúvida da minha parte evaporou quando ela sorriu no meu colo. Continuei:

— Se essa é nossa primeira e última "sessão", não seria uma pena se a gente perdesse a chance de mostrar o nosso melhor? Não me entenda mal, adorei nossa experiência na cozinha...

— Eu também.

— Mas eu tenho mais para oferecer. Tenho algumas habilidades que adoraria mostrar para você.

Ela deu risada, franzindo o nariz.

— Então basicamente você quer que eu descubra como você é bom de cama para depois nunca mais fazermos isso?

— Exato. — Era difícil não rir também com ela me olhando daquele jeito. — Você não quer a mesma coisa? Ou talvez você não tenha habilidades...

Ela revirou os olhos.

— Eu tenho habilidades. E como tenho.

— Acho que não acredito.

— Sério, Beck?

Então Olivia inclinou o corpo sobre o meu e sussurrou algo tão obsceno em meu ouvido que me fez apertar os dedos em sua cintura por reflexo. Eu não sabia se ela conseguia mesmo fazer aquilo com a língua, mas estava pronto para descobrir.

— Jogo baixo, Marshall. — Fiquei de pé com ela no colo e a coloquei sobre meus ombros como um bombeiro. — Vamos resolver isso.

— Colin! — gritou ela.

— Isso aí. Diz meu nome. — Dei uma palmada em sua bunda, me dirigindo ao quarto enquanto ela se debatia e ria.

Uma coisa sobre Olivia da qual eu tinha me esquecido até aquele momento era o quão divertida ela era. Fosse levando um tombo ou perturbando quem estava ao redor, ela estava sempre rindo, desde o momento em que a conheci. Ainda me lembro do dia em que fui para a casa com meu novo amigo Jack e sua irmãzinha esquisita, que ficou nos seguindo o tempo todo enquanto cantava as músicas de *Annie*. Até hoje eu conseguia ouvi-la cantarolando sem parar a palavra "Talvez".

Como alguém que cresceu em uma família muito séria, eu achava a risada de Olivia um pouco viciante.

Subi as escadas e, quando chegamos ao quarto, eu a joguei na cama. Rindo e com o cabelo completamente despenteado, Olivia se apoiou nos cotovelos e disse, com uma sobrancelha erguida:

— Pronto para me mostrar essas habilidades?

Lá estava ela com suas pernas expostas e aquela regata provocante. Eu não tinha ideia de como voltaria a olhar para ela de outro jeito. O cheiro de seu perfume, a tonalidade verde de seus olhos, sua boca rosada; tudo aquilo resultava em um combo que era a fórmula para a minha destruição.

— Pois saiba que eu nasci pronto — respondi, subindo na cama e me rastejando até ficar por cima dela.

Quando meu rosto estava exatamente sobre o seu, Olivia me olhou e ficou em silêncio.

Ela era menos ousada do que dizia ser.

Então me lembrei de suas mensagens para o Cara do Número Desconhecido sobre gostar de uma coisa mais selvagem; será que intimidade a assustava? Seu olhar penetrante me atraiu como um ímã, e acho que murmurei algo como *Seja o que Deus quiser* antes de abaixar o rosto para beijá-la. O beijo foi quente e lento e incendiou todo o meu corpo. Olivia envolveu meu pescoço com os braços e gemeu contra minha boca.

Eu continuei a beijá-la devagar, aumentando a intensidade aos poucos e me perguntando por que me importava com o fato de ela estar deixando. A cada segundo daquele beijo lascivo e prolongado, eu sentia que ganhava alguma coisa pela sua submissão.

Olhos fechados, suspiros profundos — meu Deus.

Mas eu não queria abusar da sorte.

— Marshall. — afastei o rosto e assisti seus olhos cor de esmeralda se abrirem.

— Hummm? — Olivia sorriu para mim com um olhar inebriado e levou as mãos até minha nuca, segurando meu cabelo.

— Para de me distrair com beijos lentos. — Mordi seu lábio inferior e agarrei a bunda dela com as mãos. — Eu tenho habilidades para mostrar.

— Já era hora — disse ela, abrindo um grande sorriso. Olivia puxou meu cabelo uma última vez antes de soltar e tirar a própria blusa pela cabeça. — Eu estava pegando no sono.

— Ah, é mesmo? — perguntei.

Então a toquei, o que a fez arfar um *"quase* pegando no sono".

E tudo explodiu e as poucas peças de roupa que usávamos desapareceram em um instante. Os beijos longos se tornaram um encontro febril de bocas — dentes e lábios e línguas, mordendo, puxando, chupando enquanto rolávamos sobre a cama nova. Nosso corpo se encaixava tão perfeitamente que, eu juro por Deus, perdi a audição por alguns minutos.

Nada mais existia além da eletricidade crepitante entre nós.

— Isso é bom — arfou ela quando a levantei um pouco no colchão.

— Gostou? — Mordi seu pescoço e voltei a repetir o movimento.

Ela arranhou minhas costas e depois cravou as dez unhas na minha bunda.

— Muitíssimo. Excelente habilidade — respondeu ela, ofegante.

— Obrigado — consegui dizer. Eu estava tentando me controlar com todas as minhas forças. — Estou com você, Liv.

Ela deixou a cabeça pender para trás enquanto se movimentava junto comigo, totalmente alheia ao fato de quão perfeitas eram suas habilidades. Quis dizer isso a ela, mas não conseguia fazer nada além de ranger os dentes e segurar firme.

14

Olivia

Colin pegou no sono por volta das três da manhã; percebi pela respiração que ele estava completamente apagado.

Minhas costas estavam contra seu peito e ele me envolvia com os braços. Eu não conseguia acreditar em como aquela noite tinha sido incrível.

Não me surpreendia Colin ser bom de cama; de alguma forma, eu sabia que seria. Mas ele ter sido gentil, engraçado e um pouquinho romântico foi uma grande surpresa. A forma como ele tinha segurado meu rosto enquanto me beijava, seus intensos olhos azuis — senti um frio na barriga ao pensar neles, e ele ainda estava na minha cama, pelo amor de Deus.

Aquela noite foi um erro, mas não um do qual eu me arrependeria. Tinha sido bom demais para isso. Se Colin fosse qualquer outro cara no mundo, eu estaria entrando em parafuso nesse momento, já imaginando nós dois num relacionamento.

Mas ainda bem que isso não ia acontecer.

Embora ele tivesse me surpreendido com tanta doçura, aquilo era apenas sexo, só estávamos respondendo à química, e não aconteceria de novo. Na vida real, nós nunca conseguiríamos manter um relacionamento, então decidimos aproveitar até o último momento.

Eu sorri e enterrei o rosto na fronha de linho com o cheiro do amaciante de Colin. Quem diria que o melhor sexo da minha vida seria com Colin Beck?

Fechei os olhos e deixei que o som baixinho de sua respiração me acalmasse até pegar no sono.

Meu celular.

Eu me sentei na cama tentando acordar enquanto meu celular tocava do chão, onde eu o tinha deixado para carregar. Fiquei confusa por meio segundo antes de olhar para baixo e ver que eu estava toda esparramada sobre um muito sonolento Colin.

Que sorria para mim.

Merda. Bastou olhar para ele para que os acontecimentos da noite passada passassem voando pela minha mente.

Caramba.

Tinha sido uma noite incrível, mas Colin me fez sentir coisas demais. Minhas bochechas ficaram quentes quando ele sorriu. Eu disse:

— Oi, você.

Ele arqueou uma sobrancelha.

— Bom dia.

O volume do toque do celular era alto e eu tive que me esticar sobre Colin para pegá-lo. Parte de mim estava feliz pela distração, porque eu precisava organizar meus pensamentos e não entrar em pânico com tudo o que havia acontecido. Dei uma olhada na tela e vi que era Glenda.

— Hum.

Puxei o lençol e me enrolei nele, depois me sentei aos pés da cama caso Colin quisesse voltar a dormir.

— Alô?

Colin se levantou, pegou a calça do chão e a vestiu. Pareceu algo quase íntimo demais para que eu estivesse assistindo.

— Olivia, aqui é a Glenda. Olha, vou direto ao assunto.

Ela parecia irritada. Senti meu sangue gelar. Alguma coisa estava muito errada. Levantei da cama levando o lençol comigo e desci as escadas para continuar a ligação. Eu não queria que Colin ouvisse.

— Tudo b...

— Beth, do RH, está na linha também, caso a gente precise de assistência. Tudo bem?

Ai, meu Deus.

— Tudo bem.

— Chegou até nós a informação de que você não tem filhos. É verdade?

Meus ouvidos começaram a zumbir e eu me senti nauseada.

— Hum, tecnicamente é, mas se eu puder ex...

— Então você inventou que tinha duas crianças para conseguir esse trabalho, é isso?

— Não! — Meu coração disparou enquanto eu tentava pensar em uma maneira de consertar as coisas. — Quer dizer, mais ou menos. Começou como um pequeno mal-entendido, e depois eu não sabia como...

— Não podemos ter uma colunista que escreve sobre parentalidade que não tenha filhos. — Glenda soava tão fria que senti um nó na garganta. — Mas, mais que isso, um dos principais valores do *Times* é a integridade, Olivia. Desonestidade é algo absolutamente inaceitável e não será tolerada.

Pisquei depressa, sentindo uma onda de calor e de frio ao mesmo tempo. Eu me sentia o pior ser humano do mundo e me segurei para não chorar.

— Sinto muito. Você acha que podemos nos encontrar para...

— Não temos escolha a não ser desligar você. — Era nítido que Glenda não queria ouvir meu lado, e eu não podia culpá-la. — Beth vai continuar a chamada e passar todas as informações sobre a rescisão e o acordo de confidencialidade. Fique bem.

Então Glenda desligou e a moça do RH começou a reler meu contrato de confidencialidade. Eu a ouvi explicando as questões legais sobre contar segredos e isso me fez pensar em meus próprios segredos.

Como é que eles descobriram?

Eu não tinha contado a ninguém além de Colin que eu era a Mãe 402, mas ele não contaria para ninguém. Acho. E para quem ele contaria? Colin era ocupado — e egocêntrico — demais para se dar ao trabalho de revelar minha identidade para o jornal.

Ainda lembrava o que ele tinha me dito na sacada naquele dia. *Você realmente acha que não vão acabar descobrindo, em uma cidade como Omaha?*

Colin apareceu naquele instante. Ele desceu as escadas parecendo ter saído diretamente de um anúncio de revista, descalço e de calça de alfaiataria, esfregando na cara do mundo seu corte de cabelo e sua estrutura óssea.

Enquanto o olhava, de repente a ficha caiu: foi ele. Eu tinha certeza de que Colin não me denunciaria para o jornal ou algo assim, mas ele provavelmente contou para meu irmão ou para algum amigo riquinho sobre a amiga idiota fazendo uma idiotice.

Ele provavelmente tinha visto o outdoor e contado para alguém.

Que merda. Eu sabia que as coisas estavam boas demais para ser verdade. Aquele emprego era bom demais para ser verdade, assim como a minha "amizade" com Colin. Onde eu estava com a cabeça quando decidi confiar no cara que na sexta série me disse que minha maquiagem parecia ter sido feita por uma velha bêbada?

Eu me virei de costas e continuei ouvindo os detalhes sobre como continuar com o plano de saúde antes de a moça do RH finalizar tanto a chamada como meu vínculo com o jornal. Assim que desliguei, Colin apareceu na minha frente.

— Quem era? O que aconteceu?

Eu só balancei a cabeça e tentei piscar para afastar as lágrimas, mas elas caíram mesmo assim.

— Era... Era o... *Que surpresa.*

Ele deu um passo em minha direção e eu estendi a mão para o impedir.

— Olha, Colin, será que você pode ir embora?

Ele franzia a testa, parecendo preocupado. *Até parece.* Seus olhos examinaram meu rosto inteiro e ele disse:

— Posso ir, mas talvez eu possa ajudar.

— Não, não pode — retruquei.

— Mas talvez...

— Você já ajudou bastante, tá bom? — Enxuguei os olhos, mas minha voz saiu rouca quando cruzei os braços e emendei: — Obrigada pela transa, *Col*, mas quero que você vá embora.

— *Col?* — Ele recuou como se eu tivesse tentado estapeá-lo. — O que aconteceu?

— O que aconteceu? — repeti enquanto outra lágrima rolava pelo meu rosto. Mas eu não estava mais triste. Estava morrendo de raiva. — Eu confiei em Colin Beck. Foi isso o que aconteceu. E depois eu fui demitida.

— O quê? — Ele parecia confuso. — Você foi demitida?

— Pois é. Pelo visto eles não acham legal que a colunista de parentalidade não tenha filhos.

— Que merda, eles descobriram? — Ele ergueu as sobrancelhas. — Calma, você não acha que eu...

— É lógico que eu acho isso, Colin. Você é o único que sabia.

Ele pareceu estar sem palavras — *é mesmo horrível ser desmascarado* — e depois tentou dizer:

— Livvie, por que eu...

— Porque você é você, Colin! — Soltei os braços sentindo vontade de gritar. — Você é um idiota arrogante que sempre se divertiu rindo de mim. Tenho certeza de que você achou hilário o fato de eu estar mentindo sobre meu trabalho, então provavelmente contou para os seus amigos idiotas do clube enquanto comiam caviar e jogavam golfe.

Ele parecia atordoado.

— Isso é o que você pensa de mim?

— Com certeza é. Aposto que você mal pode esperar para contar para eles o que aconteceu ontem, não é? Seu pai vai falar algo do tipo "filho de peixe, peixinho é" e pagar uma rodada de bebida para todo mundo. — Apertei o lençol ao redor do corpo e continuei: — Vou tomar banho. Por favor, não quero ver você quando sair.

Abri a porta devagar, prestando atenção se havia algum barulho. Nada.

O apartamento estava em silêncio, o que significava que Colin tinha ido embora. Eu tinha segurado a onda enquanto tomava banho, caso ele ainda quisesse conversar, mas depois de ter certeza que ele não estava lá, acabei cedendo à vontade de chorar.

Chorei no apartamento silencioso que me obrigava a pensar em tudo o que havia acontecido. Eu tinha perdido meu emprego, confiado em um idiota, dormido com esse idiota e agora móveis que eu não tinha dinheiro para pagar estavam a caminho.

Eu tinha um orçamento de zero dólares para mobiliar meu apartamento.

Fiquei chorando por praticamente uma hora enquanto me lamentava por tudo o que tinha acabado de perder.

Depois fiquei com raiva.

Pensar em Colin em um de seus ternos elegantes, tomando martíni com mulheres como Harper enquanto dizia "Eu conheço a garota que escreve essa coluna. Foi ela quem incendiou o próprio apartamento. Sim, ela mesma. Ela é doida de pedra e nem sequer tem filhos" era quase tão ruim quanto a derrocada da minha carreira promissora.

E com o adicional de um monte de gente rica num lounge chique aos risos.

Que merda.

Arranquei os lençóis de Colin da cama e os enfiei em um saco de lixo. No começo, pensei em deixá-los na porta dele, mas, com toda a minha sorte, Jack acabaria o encontrando, então achei melhor não. Por fim, levei o saco para a lixeira no térreo e joguei fora um conjunto de lençóis caros de linho em perfeitas condições.

Estava completamente esgotada no fim do dia. Entrei naquele clima apático que sempre vem depois de dizer *foda-se tudo*. Mandei currículos para algumas vagas de conteúdo e depois um e-mail para a empresa de freelancers que tinha me oferecido trabalho antes de eu começar no *Times*. Eram todos uma bosta, criatividade zero, mas ao menos eu poderia pagar as contas.

Fui até o mercado da esquina e comprei um cachorro-quente, uma caixa de cereal e Coca Diet para o jantar. Quando cheguei em casa, não sabia o que fazer comigo mesma. O apartamento era muito silencioso sem uma TV, e eu estava de saco cheio de ficar mexendo no celular. Eu tinha uma cama e dois banquinhos — era isso.

O apartamento estava vazio, assim como eu.

Achei que Colin mandaria uma mensagem com um pedido de desculpas, mas lógico que ele não fez isso. Ele provavelmente nem se importava.

Idiota.

Eu me esforcei para não pensar na noite anterior — já que isso não me traria nada de bom —, e depois de ficar deitada no colchão descoberto por uma hora sem conseguir dormir, mandei uma mensagem para o Cara do Número Desconhecido.

Eu: Eu sei que a gente não se conhece, mas nós éramos amigos e você poderia pelo menos ter se despedido. Minha vida tá de ponta-cabeça, estou me sentindo meio solitária e queria muito um amigo anônimo com quem pudesse conversar. Que pena que você não está nem aí.

Coloquei meu celular para carregar e apaguei a luz.
Que se dane o Número Desconhecido, também.
Homens eram todos iguais.
Mas então meu celular vibrou. Olhei para baixo na escuridão.

Cara do Número Desconhecido: Não posso explicar por que eu sumi, mas não teve nada a ver com você. Me desculpe por ter deixado você sozinha. Sei que está brava, mas se precisar conversar estou aqui.

Eu queria continuar brava, mas a verdade era que eu precisava desesperadamente conversar com alguém que não me conhecia. Acendi a luz de novo.

Eu: O que você diria se eu falasse que dormi com o melhor amigo do meu irmão, fui demitida do meu emprego por ter mentido e depois descobri que o melhor amigo do meu irmão foi o responsável por espalhar o segredo que fez com que eu perdesse o emprego?

Colin

Encarei o aparelho sem saber o que fazer.

Eu me sentia muito mal por Liv, mas estava muito puto com ela também. Era horrível ela ter sido demitida de um emprego que amava, ainda mais sendo tão boa no que fazia. Eu a conhecia bem o suficiente para saber que ela estava triste e desesperada pensando no que faria para pagar o aluguel.

Por isso mandei aquele pedido de desculpas pelo Cara do Número Desconhecido.

Mas.

Como ela podia pensar que eu tinha contado? A ideia era completamente absurda — tipo, para quem eu contaria? —, mas o fato de ela ter me acusado tão rápido mostrava exatamente o que ela pensava sobre mim. Depois de morarmos juntos por um mês, eu achei que tínhamos nos tornado amigos.

E então o sexo.

Eu fiquei chocado quando ela basicamente me comparou ao meu pai. Eu nem sabia que ela se lembrava dele, mas pelo visto sim, já que achava que eu era a versão mais nova dele. Meu pior pesadelo.

Uma garota ocupada, respondi.

Olivia: Do pior jeito possível.

Eu não ia fazer nenhuma pergunta. Só queria que ela se sentisse um pouco melhor e depois voltaria com o *ghosting*. Respondi: Que merda.
Ela começou a digitar, e de repente...

O sexo foi surreal, do tipo, atores pornôs iam pedir consultoria.

Cacete. Eu concordava cem por cento, mas era errado que eu estivesse lendo aquilo. Respondi apenas: Nossa!

Olivia: Pois é! Não ia rolar nada depois, a gnt já tinha concordado que não aconteceria outra vez, mas transar com ele foi MUITO legal. Quer dizer, até eu acordar com a pior notícia da minha vida.

Não consegui me conter. Como você sabe que foi ele quem contou?

Olivia: Ninguém mais sabia.
Eu: Tem certeza?
Olivia: Absoluta. E é a cara dele me foder só pq acha que é engraçado.

Mandei uma última mensagem antes de desligar o abajur e ir dormir, frustrado por não conseguir fazer nada para remediar aquela situação absurda.

Eu: Pelo menos o sexo foi bom.

15

Olivia

— Querida, vai devagar com as panquecas.

Revirei os olhos enquanto mastigava de boca cheia.

— Não revire os olhos para mim — ralhou minha mãe. — Você tem vinte e cinco anos, pelo amor de Deus.

Respirei fundo e olhei para Dana do outro lado da mesa, que parecia estar tentando não rir. Era domingo e eu tinha ido tomar café da manhã com a minha família. Embora as panquecas estivessem deliciosas, a companhia era dispensável.

No segundo que cheguei, minha mãe perguntou:

— É verdade que você já foi demitida?

Já havia passado uma semana desde que tudo tinha acontecido, então eu bem que podia agradecer aos céus por ela ter demorado *tanto* para mencionar o assunto. A recepcionista do restaurante me olhou como se eu fosse um fracasso ambulante enquanto eu explicava para minha mãe o "mal-entendido" com a minha antiga empregadora.

Ao que ela respondeu:

— Como você não *imaginou* que eles esperavam que você fosse mãe para escrever uma coluna sobre parentalidade? Faça-me o favor.

Minha mãe era muitas coisas, menos boba.

Eu me sentei na outra ponta da mesa, ao lado de Dana e Will, torcendo para que ela me ignorasse e mudasse de assunto, mas isso só serviu para que minha mãe gritasse perguntas por sobre a mesa.

— Como você vai fazer para bancar aquele seu apartamento chique?

Como se a situação já não estivesse ruim o bastante, Kyle e Brady estavam na casa dos pais de Dana, então eu não tinha nem mesmo meus parceirinhos para me distrair.

— Vocês fazem isso todo domingo? — Balancei a cabeça para meu irmão e Dana, impressionada com a paciência deles, e sussurrei: — Vale a pena? As panquecas são uma delícia, mas fala sério.

— É só porque você é a favorita dela. — Will tomou um gole de café. — Você é a filhinha querida, então ela sempre foi um pouco mais controladora com você.

— Que mentira. Jack é o favorito.

— Sim! — exclamou Dana, apoiando o queixo na mão, nitidamente aproveitando a refeição sem crianças. — Para ela, Jack é um anjo sem defeitos.

Ela se debruçou mais sobre a mesa e perguntou:

— A propósito, você está bem? Se precisar de alguma ajuda com o aluguel ou algo assim, a gente pode...

— Está tudo bem. — Dana era muito gentil, e eu me senti a maior otária do mundo por ela achar que precisava me oferecer dinheiro. — Ontem consegui um trabalho como freelancer que vai ser suficiente até eu arranjar outra coisa.

— Parabéns!

— Parabéns pelo quê? — Minha mãe se meteu na conversa do outro lado da mesa. — Conseguiu o emprego de volta?

Eu suspirei.

— Desde a última vez que você me perguntou, dez minutos atrás? Acho que não.

— Então o que foi? — Ela me olhou com a sobrancelha arqueada.

— Consegui um trabalho freelancer só até...

— Jack! — exclamou minha mãe, esquecendo da minha existência.

Revirei os olhos, mergulhei minhas panquecas na calda e enchi a boca com elas só para irritar minha mãe. Era típico de Jack chegar tarde e deixar minha mãe absurdamente feliz, enquanto eu, que cheguei cedo, era só um alvo de críticas. Voltei a me concentrar na lagoa de xarope no meu prato até que ouvi minha mãe dizer:

— E ele trouxe você. Que bom!

Olhei para cima esperando ver a nova namoradinha de Jack, mas minha panqueca virou cimento na minha garganta quando me deparei com Colin, sorrindo para minha mãe.

Merda, merda, merda. Lógico que Colin estava ali. Eu tinha me arrumado todos os dias da semana anterior caso o encontrasse no elevador, mas na manhã em que decidi não me maquiar e usar calça de moletom e uma camiseta velha com logo de cerveja, lá estava ele.

— Foi tão legal da outra vez que eu teria vindo até sem ele.

Senti uma pontada no peito quando ele sorriu para minha mãe de maneira carinhosa. Colin usava calça jeans, um suéter de lã e aqueles benditos óculos. Eu estava dividida entre a vontade de dar um murro na cara dele, transar com ele ali mesmo e chorar alto feito um bebê.

— Se apertem aí, pessoal.

Minha mãe sorria para Colin enquanto gesticulava para meu pai chegar para lá para que Colin pudesse sentar ao lado dela. Ainda bem que eu estava do outro lado da mesa e não precisaria mudar de lugar. Se bem que, conhecendo minha mãe, era possível que ela me fizesse sentar na mesa ao lado com um casal de idosos só para dar lugar para Colin, se fosse necessário.

Voltei minha atenção para meu prato, que parecia prestes a transbordar de tanta calda, e espetei a última panqueca. Senti que

Colin me olhava, então mergulhei a panqueca inteira no xarope de maçã e enfiei metade na boca.

Isso aí, seu babaca. Eu estou comendo feito um animal porque não dou a mínima para a sua presença. Chupa essa.

— Livvie estava prestes a nos contar uma boa notícia — anunciou minha mãe, animada, dando a entender que os meninos tinham acabado de interromper um momento de celebração. Ela apontou o garfo para mim e disse: — Continue, querida.

— Humpf.

Gesticulei para que ela esperasse enquanto eu tentava engolir um pedaço de panqueca do tamanho da minha cabeça. A família inteira, incluindo minha avó, meu avô, tia Midge e tio Bert, me olhavam com certa repulsa.

Que maravilha.

— Caramba, Liv, que tal um pouco de maquiagem? — provocou Jack. — Está com uma cara péssima.

Depois que consegui engolir — e mostrar o dedo do meio para Jack, o que fez minha mãe arquejar em horror —, pigarreei e disse:

— Não é exatamente uma boa notícia, mas ontem consegui um emprego freelance.

— Então é um emprego de meio período? — Tia Midge ergueu as sobrancelhas. — É isso?

— Não, não é nem isso, acho — comentou minha mãe. — Como é? É para trabalhar no seu próprio ritmo?

— Parabéns, querida — murmurou meu pai enquanto enfiava um pedaço de torrada com geleia de uva na boca.

Não deixe mamãe ver você comendo isso, pensei, distraída. Um segundo depois, ela exclamou:

— Não coma isso, querido. — Ela balançou a cabeça como se ele fosse uma criança teimosa. — Você sabe que isso faz você inchar.

Eu nunca entendi o que isso significava exatamente, mas a possibilidade de que meu pai "ficasse inchado" permeou toda a minha infância.

— Minha irmã ganhou uma fortuna trabalhando como freelancer — disse Colin para todos à mesa, olhando para mim. — Isso só significa que você recebe por projeto, e não mensalmente.

— É mesmo? — perguntou minha mãe, olhando encantada para Colin. Depois ela se virou para mim. — É assim?

Me senti dividida outra vez. Colin estava sendo simpático, tentando me ajudar com a minha família, e eu sabia que deveria ser grata. Mas será que ele me achava tão patética assim a ponto de precisar me ajudar até naquilo? Será que ele *sentia pena* de mim?

Ou será que estava se sentindo culpado?

Eu não precisava da piedade de ninguém.

— Não, Colin está errado, na verdade. — Olhei no fundo dos olhos azuis dele e disse: — Esse negócio de trabalho freelance é bem informal e o salário é péssimo. Mal dá para chamar de trabalho.

Colin tensionou a mandíbula. Que bom, eu o tinha irritado. Um segundo depois, minha mãe começou a conversar com ele e eu fui esquecida, graças a Deus. Quando ele se levantou para atender a uma ligação uns dez minutos depois, eu me despedi depressa da família e fui embora.

Passei a tarde escrevendo descrições de carros para concessionárias em meu novo e incrível trabalho como freelancer. Quase caí no sono em frente ao notebook, então fiz uma pausa e fui para a sacada ver a chuva. O clima estava frio e deprimente — meu favorito — e parecia se encaixar direitinho com a minha situação.

Eu me aconcheguei na cadeira — a que eu tinha compartilhado com Colin — e olhei para a paisagem urbana chuvosa. Precisava encontrar uma maneira de dar a volta por cima, de me sentir entusiasmada com o futuro. Se eu tinha sido capaz de superar Eli e o incêndio, com certeza conseguiria superar Colin e a demissão.

Eu acho.

Alguma coisa tinha que acontecer.

Abri meus contatos e cliquei no Cara do Número Desconhecido. Eu sabia que era um risco, principalmente porque ele tinha acabado de voltar, mas eu estava cansada de ficar sentada esperando que as coisas caíssem no meu colo.

Eu queria fazer isso. Danem-se as consequências.

Eu: Eu sei que a gente tinha combinado outra coisa, mas acho que a gente devia se encontrar. Sei que tem umas mil e uma razões pra isso não acontecer, mas não ligo. Vou estar no Cupps (um café) sexta à noite, por volta das 19h. Espero que dessa vez vc não suma.

Colin

Merda.

O que Olivia estava fazendo comigo? O que estava fazendo consigo mesma? Eu encarava o celular, sentado à mesa enquanto trabalhava no orçamento imobiliário do próximo ano, e não conseguia acreditar no que estava lendo. A vida dela estava de cabeça para baixo, e com toda certeza levar um bolo não ia ajudar. Ela tinha que saber que eu — ele — não ia aparecer, não é? Depois de todo aquele tempo ignorando as mensagens dela, por que Olivia achava que ele ia aparecer pessoalmente?

Que merda.

Eu não esperava vê-la no café da manhã dos Marshall — ela nunca ia —, e algo na forma como ela olhou para mim enquanto comia aquelas panquecas molengas mexeu comigo.

Era quase como se eu tivesse sentido falta dela — e isso não era um bom sinal.

Era a irmã de Jack. A porra da irmã de Jack, caramba. *A irmã do seu melhor amigo, seu idiota.*

Com certeza era só o sexo incrível que estava mexendo com a minha cabeça. Aquela era só Olivia Marshall, a espertinha desastrada de sempre, e de jeito nenhum eu teria saudade dela.

Até parece.

Eu tirei os óculos e esfreguei os olhos. Não gostava da ideia de Liv levando um bolo, mas era culpa dela por ter proposto o encontro. O Cara do Número Desconhecido e a srta. Sem Querer tinham concordado em manter o anonimato. Ela não podia mudar as regras só porque estava em um momento ruim.

Era uma pena, mas eu não podia fazer nada.

Olivia

— Parece muito chato — disse Sara, gesticulando para que o barman enchesse seu copo. — Mas, se paga as contas, eu com certeza faria descrições sobre carros.

— Pois é, é o que estou fazendo.

Cruzei as pernas e dei um gole na minha coca com rum. Não estava muito a fim de sair quando Sara me chamou para um happy hour, mas o que mais eu tinha para fazer? Naquela hora do dia eu costumava ir para a sacada e ficar pateticamente olhando as pessoas lá embaixo (as que tinham um emprego) voltando para casa.

Eu não saía do apartamento desde o café da manhã com a minha família três dias antes, então a parte do meu cérebro que ainda funcionava aceitou o convite e me obrigou a tomar banho para o meu próprio bem.

— Você vai conseguir outro emprego já, já. Você escreve muito bem. Ainda não acredito que você era a Mãe 402. Eu adorava sua coluna.

— Obrigada — respondi. Era bom ouvir aquilo depois de todo o drama.

— Mas olha só, eu chamei você aqui por uma razão. — Ela cruzou os braços e continuou: — Você já está saindo com outras pessoas depois de toda aquela história com o Eli? Porque meu cunhado é um amor e ele está solteiro. Acho que vocês se dariam muito bem.

Eu não tinha contado sobre o que rolou com Colin.

Tomei outro gole. A ideia de sair com alguém me dava vontade de arrancar meu cabelo fio por fio. Não porque eu estava apegada àquele idiota insuportável de tanquinho definido, mas porque não estava pronta.

Naquela noite, quando Colin me deu aqueles beijos lentos e carinhosos, comecei a me sentir claustrofóbica, morrendo de medo de me deixar levar por aquele romantismo todo. Felizmente, ele aumentou o ritmo, mas isso me lembrou de que eu não estava em condições de sair com ninguém. A única exceção era o Cara do Número Desconhecido, mas só porque a gente já se conhecia.

— Acho que ainda não estou pronta, mas valeu.

— Talvez você não saiba que está pronta até sair com alguém. — Ela sorriu para o barman quando ele trouxe o copo dela e continuou: — Você provavelmente só está com medo porque o tal do Eli era um idiota.

Eli. Sara disse o nome de Eli e eu... *não senti nada*. Eu não tinha percebido até aquele momento que o poder dele sobre mim havia desaparecido. Quando isso aconteceu? De repente, ele não era mais nada; eu não senti coisa alguma ao ouvir o nome dele.

Era um grande avanço. Talvez transar com Colin tivesse sido algum tipo de catalisador para uma transformação emocional.

Eu ainda achava Colin um cretino da pior espécie, mas pelo menos ele serviu para alguma coisa.

Além da gratificação sexual.

— No que está pensando? — perguntou Sara, me encarando. Só então percebi que eu estava imersa nos meus próprios pensamentos. — Sua cabeça tá em outro lugar.

Parte de mim queria contar a ela sobre Colin para ter uma opinião sobre tudo aquilo, mas eu estava muito envergonhada. Ainda me sentia tola por confiar na decência dele. Em vez disso, eu disse:

— Você se lembra daquele cara do número desconhecido com quem eu estava conversando? Acho que vou me encontrar com ele para tomar um café.

Colin

— Nick.

Nick DeVry, que trabalhava na sala ao lado da minha, apareceu na porta.

— E aí, cara.

Nick era um cara legal. Usava barba estilo lenhador e se vestia como todos os caras que frequentavam o clube de campo — camisas polo e calças meio justas.

— Entre aqui — pedi.

Nick entrou e fechou a porta. Ele ainda tinha um sorriso infantil, mas era tão inteligente que provavelmente se tornaria CFO em cinco anos.

— Preciso de um favor que não tem nada a ver com trabalho.

— Eita.

— Não, nada assim. Só quero que você vá num encontro às cegas por uma hora.

Depois de cinco cervejas e de fritar o cérebro, bolei um plano. Eu só precisava que alguém aparecesse no café e fosse legal com Liv, assim ela não ficaria chateada e seguiria em frente. Contei a Nick uma meia verdade, dizendo que o Cara do Número Desconhecido era um amigo muito otário que planejava deixá-la esperando.

— Normalmente eu não me meteria, mas essa garota passou por muita coisa e eu acho que ela ficaria muito mal com esse bolo.

Preciso que você apareça e tome um café com ela, só isso. Seja bem chato para que ela não fique a fim de você. Aí ela vai embora se sentindo bem e você ganha uma garrafa de uísque.

Ele começou a negar com a cabeça.

— Ela deve ser muito feia se você mesmo não quer fazer isso.

— Já falei, ela me conhece, então eu não posso ir. Ela é a irmã mais nova do meu amigo.

— Isso não respondeu à pergunta sobre como ela é.

— Ela é linda. — E era, mesmo. Meu ouvido tinha começado a zumbir quando ela subiu no meu colo aquele dia na varanda, sem brincadeira. — Mas ela é tipo um filhotinho de cachorro indefeso. É só animar ela um pouquinho e dar o fora.

Nick olhou para mim, e eu sabia que ele ia topar. Ele adorava agradar as pessoas e amava uísque.

— Só vou fazer isso pelo Glenfarclas 25.

— Onde eu vou encontrar isso?

— Eu tenho um contato. — Ele se aproximou e se sentou na cadeira de frente para mim. — Clark Ehlers. Uísques Dundee Corporações.

Ia sair caro, mas eu não podia deixar Olivia esperando sozinha em um café. Nos dez minutos seguintes eu passei todas as informações que Nick poderia precisar e, quando ele finalmente saiu de meu escritório, eu estava certo de que nada poderia dar errado.

16

Olivia

Passei um batom vermelho e um pouco de pó compacto no nariz. Eu tinha me maquiado no meio da tarde e feito uns cachos no meu cabelo escorrido. E a melhor parte era que a noite estava estranhamente fria, então eu poderia usar um casaco felpudo por cima de meu vestido preto, além de meia-calça e botas.

Afinal, todo mundo sabe que se está menos de vinte graus já é aceitável usar botas e suéter, né?

Apaguei a luz do banheiro ainda sem acreditar que enfim ia me encontrar com o Cara do Número Desconhecido. Sentia que ia vomitar. Estava tão animada e ansiosa que às vezes esquecia que aquilo ainda tinha chances de ser uma cilada.

Ele me deu *ghosting* várias vezes, então provavelmente havia alguma coisa errada com ele, tipo corpos enterrados, bonecas feitas de cabelo humano e uma infinidade de esposas sequestradas. Para falar a verdade, eu não ia me surpreender se ele não aparecesse naquela noite. Eu estava preparada.

Eu tentava me lembrar disso toda vez que sentia um frio na barriga a caminho do café. Ele não ia aparecer, então não tinha motivo para ficar nervosa. Respirei fundo quando cheguei e abri a porta.

Então, ouvi uma voz grave atrás de mim:

— Sem Querer?

Engoli em seco e, ao me virar, foi como se tudo de repente ficasse em câmera lenta. Não sei o que eu estava esperando, mas o homem que me encarava tinha minha altura, uma barba cheia e um sorriso largo. Ele parecia pronto para jogar golfe com os caras da faculdade enquanto sorria para mim.

— Número Desconhecido?

Ele fez que sim e sorriu, depois nos abraçamos meio desajeitados.

— Peguei uma mesa perto da janela.

— Ah, que ótimo — respondi, indo atrás dele.

Eu não estava exatamente *decepcionada* porque ele era um cara bem bonito. Mas acho que eu esperava sentir algum tipo de conforto e familiaridade com ele, tipo uma conexão, e isso meio que não aconteceu.

Eu me sentei e nos entreolhamos, sorrindo nervosos um para o outro.

— Não acredito que finalmente estamos nos conhecendo.

— Verdade — concordou ele.

— A coisa toda é tão bizarra. Bom, você sabe.

— Sim, verdade.

Hummm... Dois "verdade" no primeiro minuto não era tão estranho, mas três já seria suspeito.

— Eu mandei uma mensagem perguntando o que você estava vestindo e você respondeu "o vestido de casamento da sua mãe". — Ele riu. — O resto é história.

— Pois é, é assim que me lembro também.

— Lembra da vez em que você brigou com aquele cara das asinhas de frango?

— Lembro. — Acenei para a garçonete. — Então, Número Desconhecido, qual é seu nome verdadeiro? Acho que agora podemos dizer, né?

Ele sorriu.

— Acho que podemos. Meu nome é Nick DeVry.

Eu assenti; o Número Desconhecido tinha um nome de verdade. *Nick*.

— Eu sou Olivia Marshall. Que bom finalmente conhecer você.

Dois sorrisos ansiosos em uma mesa minúscula.

Eu pigarreei.

— Com o que você trabalha, Nick?

— Com finanças. Um tédio, eu sei.

Eu sorri, irritada ao perceber que a palavra "finanças" me fazia imediatamente pensar em Colin.

— Um tédio que paga bem.

— Sim. E você...?

— Eu sou jornalista. — *Por favor, não me pergunte onde trabalho.*

A garçonete veio até a mesa e anotou meu pedido, então meu celular vibrou. Enquanto Nick pedia uma fatia de bolo, dei uma olhada no celular e vi que Sara havia mandado uma mensagem.

Sara: E aí?
Eu: Parece legal.
Sara: Ih. Não teve química? Que pena, gatinha.
Eu: Valeu.

Guardei o celular no bolso do casaco.

— Onde você mora, Nick? Cresceu aqui? Conta um pouco sobre você.

Ele se inclinou para trás e acariciou o queixo, ou o lugar onde eu achava que o queixo estava sob toda aquela barba.

— Cresci no Kansas e agora moro em Millard.

— Olha só, um rapaz do subúrbio.

— Isso aí. — Ele parou de coçar a barba. — Mas isso não quer dizer que eu não sou descolado.

— Aham.

Ele me encarou com um olhar divertido.

— Não me faça provar.

Sorri.

— Hum, como você faria isso...?

— Dançando *break,* óbvio.

— Hã, acho que agora com certeza vou precisar de provas.

Então, juro por Deus, Nick abriu um sorriso enorme, ficou de pé e começou a fazer *moonwalking* no meio do café lotado.

— Foi ótimo te encontrar, Olivia.

— Sim.

Paramos em frente ao meu prédio, e eu estava mais que pronta para encerrar a noite. Nick era legal, mas pessoalmente não rolou a eletricidade e a química das nossas mensagens. Tipo, nem um pouquinho. Para ser sincera, eu *nem conseguia imaginar* Nick tendo pensamentos sexuais, muito menos falando sobre eles via mensagem. Ou me provocando. Ele era só... legal.

Eu respirei fundo e olhei para ele. Olhei *de verdade,* prestando atenção. Ele definitivamente era bonitinho. Eu odiava sentir esse "argh" que tinha vindo com tudo. Eu só sentia preguiça de Nick.

Que decepção.

Ah, QUER SABER? Eu dei um passo à frente e o beijei. Foi um beijo-teste. Talvez depois dessa tentativa tudo mudasse. Era só um empurrãozinho. Eu precisava que aquilo desse certo.

Nick soltou ar pelo nariz, depois virou a cabeça e mergulhou no beijo.

Mergulhou mesmo. De corpo e alma.

Eu não sabia se ele tinha uma língua absurdamente grande ou se estava apenas tentando ver se conseguiria colocá-la inteira na minha boca, mas beijar Nick me deixou sem ar, e não do jeito bom. Tinha tanta coisa acontecendo dentro da minha boca que eu não conseguia respirar direito. O beijo foi passional e envolveu uma grande quantidade de saliva, mas simplesmente não encaixou.

E eu tive a impressão de ter engolido uns pelos de barba.
Eu me afastei com um sorriso.
— Obrigada outra vez pelo café. Boa noite, Nick.

Colin

Nick me mandou uma mensagem depois do encontro.

Deu tudo certo. Ela é legal.

Perfeito.
Fiquei esperando uma mensagem de Liv para o Número Desconhecido, mas ela estava estranhamente quieta, então fui malhar na academia do prédio. Quando voltei, tinha recebido uma mensagem.

Srta. Sem Querer: Obrigada outra vez por hoje — foi divertido.

Eu queria acabar logo com isso, então respondi apenas com: Concordo.

Srta. Sem Querer: Mas agora falando sobre o beijo...

Tive que ler a mensagem duas vezes. Beijo? Que beijo? Eles tinham se beijado? Nick tinha *beijado* Olivia?
Respondi: Sim, vamos falar sobre o beijo.
Eu esperei enquanto andava de um lado para o outro no quarto e bebia litros de água. Então mandei uma mensagem para aquele filho da puta.

VOCÊ BEIJOU ELA? Por que você beijou Olivia, porra?

Quando meu celular finalmente vibrou, eram os dois respondendo ao mesmo tempo.

Nick: Ela me beijou, cara. Juro por Deus.
Olivia: Foi uma má ideia. Vamos fingir que não aconteceu, tudo bem?

Comecei a responder Liv, mas Nick mandou outra mensagem.

Nick: Pq? Oq ela disse?

Droga.
Respondi Olivia primeiro, como o Número Desconhecido.

Eu: Você quer esquecer?

Assim que cliquei em "enviar", Nick mandou outra mensagem.

Nick: Não quero te deixar chateado, mas eu achei ela bem legal de verdade
Eu: NÃO. Você está proibido.

Um segundo depois de eu ter respondido Nick, Olivia me respondeu.

Olivia: Sim, quero. Eu gosto da nossa amizade via mensagem e não quero que as coisas mudem.
Nick: Podemos falar sobre isso?

Pelo amor de Deus, eu estava prestes a perder a cabeça.
Mandei uma última mensagem pra Nick: Conversamos amanhã, mas ela é maluca da cabeça, tem várias questões. Você não vai querer sair com alguém assim, confia. Aliás, já comprei seu uísque.

Olivia

Assim que Nick foi embora, saí de novo e caminhei em direção ao Old Market; não estava a fim de voltar para casa ainda. Conhecer o Número Desconhecido era minha grande solução para a chatice que minha vida tinha se tornado, mas depois daquela revelação decepcionante eu só precisava comer alguma coisa gostosa.

Porque as coisas estavam mais chatas do que nunca.

Não tinha fila do lado de fora quando cheguei à sorveteria Ted & Wally, ainda bem — normalmente ficava lotada à noite, era um ótimo lugar pós-encontro. Fui até o balcão, aproximei o nariz do vidro e senti vontade de comer tudo.

— Eu quero uma bola de chocolate, por favor.

Era superclichê, mas eu só queria descontar a tristeza na comida até vomitar ou até pegar no sono com um bigode de chocolate. Paguei e agradeci ao garoto sorridente de alargadores enormes que estava no caixa.

— Obrigada.

Quando me virei para sair da sorveteria, quase trombei com Glenda. Murmurei algo parecido com *nossamedesculpanãotevi* antes de nos olharmos e de a ficha do "ei, eu te conheço, pera, alguma coisa ruim aconteceu entre a gente, cara, isso é tão desconfortável".

— Oi, Olivia. — Ela se recompôs mais depressa que eu. Sorrindo, Glenda disse: — Este é Ben, meu marido. Ben, esta é Olivia Marshall.

Eu nem tinha notado o homem ao lado dela. Tentei sorrir.

— É um prazer. — Pigarreei. — Que bom ver você, Glenda.

— Você também — respondeu ela, soando muito gentil.

Eu me despedi morrendo de vontade de chorar, porque — Jesus Cristo — eu sentia falta dela. Mas quando estava prestes a sair da sorveteria, me virei e a chamei:

— Glenda?

Ela estava falando com o marido, com certeza sobre mim, mas ergueu o rosto.

— Sim?

Voltei até onde ela esperava na fila e disse:

— Eu só queria me desculpar. Eu... hã, gosto muito de você, me sinto péssima por ter mentido. — Eu sabia que os outros clientes estavam ouvindo tudo, mas não me importava. — Eu nunca quis... É que... Eu queria tanto o emprego que achei melhor não dizer a verdade.

Glenda me deu um de seus sorrisos amáveis e maternais.

— Está tudo bem, Olivia.

— Obrigada por dizer isso. Não consigo imaginar o que você pensou quando ficou sabendo. Eu só tinha contado para uma pessoa, e aparentemente foi a pessoa errada. Mas não importa, porque o que eu fiz foi horrível. Sinto muito mesmo.

— Ah. — Ela arqueou uma sobrancelha. — Essa pessoa pode ter fofocado, mas quem me contou foi Andrea.

— Andrea? — Eu não fazia ideia de quem era aquela pessoa.

O marido dela tinha se afastado de nós e estava fingindo ler os sabores de sorvetes.

— Andrea Swirtz. Minha ex-estagiária? — Ela ajeitou os óculos no rosto. — Nós a vimos aquele dia no Zio's durante o almoço, lembra?

Ela?

— Mas como *ela* sabia?

— Ela disse que nos ouviu falando sobre a coluna e a "consciência" dela fez com que ela decidisse me ligar. — Glenda revirou os olhos. — Acho que ela estudou na mesma escola que você. Sabe como é.

Eu não me lembrava de nenhuma Andrea Swirtz, mas com certeza iria procurá-la na internet assim que chegasse em casa. *Que vagabunda.*

— Preciso ir, Olivia — disse Glenda, apontando para o marido —, mas sem ressentimentos, ok? Leve isso como uma lição e siga em frente, tudo bem?

Eu queria chorar de novo, porque ela estava sendo muito legal. Assenti e consegui murmurar algo parecido com *tábommedesculpaoutravezboanoite* antes de pegar meu sorvete e sair.

Caminhei por um quarteirão e precisei me sentar num banco quando me dei conta do que havia acabado de descobrir.

Ah, porra.

Colin não tinha contado para ninguém.

Eu me senti nauseada ao lembrar da reação dele quando o comparei com o pai. Ai. Peguei meu celular para enviar uma mensagem para ele.

Eu: Colin, ME DESCULPA. Eu sei que não foi você quem contou. Me desculpa por ter sido tão horrível, principalmente depois da Noite do Sexo.

Eu me levantei e caminhei por mais um quarteirão antes de conferir a tela.

Nada.

Mandei outra mensagem.

Eu: Sei que vc deve estar bravo comigo, mas, por favor, só queria que vc soubesse que me arrependo mto de como tratei vc. Vc não merecia. Eu sou a maior idiota que existe.

Andei mais um pouco até chegar em casa e mandei outra mensagem quando entrei no saguão do prédio.

Eu: Ok, então vc está me ignorando. Eu mereço, mas me desculpa, por favor. Eu sei que somos meio cuzões um com o outro o tempo todo, mas eu passei dos limites, sinto muito. Se quiser descer para conversar, a minha porta vai estar aberta e eu vou estar afogando minhas mágoas em um prato de miojo.

Cliquei em "enviar", mas, quando entrei no elevador, apertei o botão do andar de Colin.

Ele tinha que me ouvir.

Respirei fundo antes de bater na porta. *Por favor, que Jack não esteja em casa. Por favor, que ele não esteja com uma mulher.* Eu estava prestes a pegar o celular no bolso quando a porta se abriu.

Era Colin.

— Oi.

Seu rosto não demonstrava nada, era como se eu tivesse batido à porta para vender panos de prato. Ele também parecia impaciente, como se quisesse que eu falasse logo.

E parecia tão desinteressado que chegava a doer em mim.

— Posso falar com você rapidinho?

Ele olhou por cima do ombro.

— Seu irmão...

Eu o agarrei pela blusa e o puxei para o corredor.

— Só um segundo, por favor...

Ele fechou a porta e eu senti um aperto no peito ao ver o pomo de adão subindo quando ele engoliu. Soltei a blusa dele, mas minhas mãos imediatamente ansiaram a firmeza de seu peito.

Olhei para ele e perguntei:

— Você recebeu minhas mensagens?

Ele cerrou a mandíbula.

— Meu celular está carregando no escritório. O que foi?

Engoli em seco. Era mais difícil dizer aquilo pessoalmente.

— Olha, Colin, sobre aquele dia...

— Deixa pra lá. — Ele contraiu a mandíbula de novo. — Não importa.

— Importa, sim. Eu errei...

— Esquece isso, Liv. Já decidimos que foi um erro e...

— Para de me interromper. Não estou falando do sexo, tá bom?

De repente meu irmão abre a porta. Ele olha de Colin para mim.

— O que vocês dois estão fazendo aqui?

— Nada — respondeu Colin.

— Conversando — respondi ao mesmo tempo.

Meu Deus, Jack tinha me ouvido gritar a palavra "sexo"?

Ele ergueu uma sobrancelha e sorriu.

— Já sei. Livvie quer voltar a morar aqui agora que está sem emprego.

— Vai se ferrar. — Fiquei aliviada por ele não ter ouvido, mas a atitude blasé de Jack sobre a minha vida me irritou. Revirei os olhos e implorei outra vez para Colin: — Por favor, leia minhas mensagens.

Colin

Observei Liv indo embora com um nó na garganta. O que tinha acabado de acontecer?

— Cara, por que você não para de olhar para a bunda da minha irmã? — Jack me olhava de um jeito esquisito e eu estava sem saco para isso.

— Beleza. — Voltei pra dentro e ele me seguiu.

— Por que a Livvie mandaria mensagem pra você?

Fingi ignorância.

— Sei lá.

— Não, falando sério. Não faz sentido a Olivia te mandar mensagens.

Eu o ignorei, entrei no escritório e tirei meu antigo celular da tomada.

— Sei lá.
— Bom, por que você não olha? — Ele ficou na porta me encarando. — Aí você vai saber, seu otário.
Fiquei parado onde estava.
— Estou de boa, mas obrigado.
— Como assim, porra? — Ele deu um passo para dentro do escritório. — "Estou de boa"? A resposta certa é: "Não sei por que sua irmã caçula está me mandando mensagens, vou conferir, porque isso é estranho." Isso é o que você deveria ter respondido.
Não falei nada porque não sabia o que dizer.
— Está acontecendo alguma coisa entre vocês dois?
Respirei fundo e aparentemente demorei muito tempo para responder, porque de repente o queixo de Jack foi ao chão.
— Minha irmã... Você está me zoando?
— Jack, olha...
— Não, olha você — disse ele, pegando o celular da minha mão.
Aquele foi o movimento mais rápido que já vi Jack fazer. Ele rolou a tela e começou a ler as mensagens, me mantendo longe com um braço esticado. Eu quis partir pra cima dele e pegar o celular de volta, mas eu já estava ferrado.
Independentemente do que Liv tivesse acabado de enviar, estava tudo lá. Agora Jack *sabia*.
Seus olhos se moveram pela tela do celular até que ele soltou o aparelho com um "Argh!" como se tivesse queimado a mão.
— Noite do Sexo? Que porra é essa? Por favor, me diga que você não dormiu com Olivia. — Ele me encarou por um longo segundo antes de dar um passo para a frente e me empurrar. — Qual é a porra do seu problema?
Ele me empurrou outra vez, e seu rosto estava vermelho.
— *Minha irmã?* — gritou Jack.
Ele me empurrou de novo, depois investiu contra mim com o ombro e nós dois voamos na parede — *caralho, minha cabeça* — enquanto ele resmungava um monte de palavrões (*seu filho da*

puta do caralho, se aproveitando da Liv) e tentava me segurar no chão para poder me bater.

— Para com isso, Jack.

Eu me debati e rolei por cima dele, segurando seus braços no chão só para impedir que seus punhos desgovernados me apagassem com um golpe certeiro.

— Vê se você se acalma, porra — vociferei, tentando segurá-lo.

Mas Jack tinha uns vinte quilos a mais que eu. Ele me deu uma joelhada na barriga e eu gemi e rolei pelo chão, parando de barriga para cima. Era o ângulo perfeito para ele me surrar até cansar.

Ele me olhou de cima e preparou o punho; fiquei parado, aguardando o golpe. Talvez a dor física pudesse aliviar um pouco da culpa que eu estava sentindo desde a noite em que beijei Liv pela primeira vez. Eu me preparei, mas em vez de sentir os ossos da mão de Jack no meu rosto, vi quando ele abaixou o braço, arfando.

— Que porra, Beck.

Balancei a cabeça.

— Eu sei, cara.

— Você não vai revidar? — Jack parecia decepcionado e enojado ao mesmo tempo pela minha resposta, como se estivesse esperando uma briga. — Você vai mesmo me deixar bater em você?

Eu só balancei a cabeça outra vez.

— Você *deveria* mesmo.

Ele engoliu em seco e ficou de cócoras.

— Então você e Olivia...?

Eu assenti, me odiando.

Jack passou a mão pelo cabelo desgrenhado.

— Que merda, Beck. Você estragou meu cabelo.

— Acho que seu barbeiro estragou seu cabelo.

Ele sorriu por um breve segundo.

— E então? Você vai dar um pé na bunda dela? — Jack soava aborrecido. Ele me conhecia bem o suficiente para saber que relacionamentos não eram o meu forte, e tinha acompanhado de perto todos os meus casos. — Claro que vai. Já deu?

— Não. — Senti um gosto amargo na boca quando me lembrei de Olivia me dizendo para ir embora. — Ela fez isso primeiro.

Ele pareceu um pouco menos zangado.

— Sério?

Assenti.

— Ela me chutou na manhã seguinte.

— Vixe — murmurou ele, coçando o queixo. Jack se pôs de pé, estendeu uma das mãos para mim e perguntou: — Por isso você está insuportável essa semana?

Eu segurei a mão dele e me levantei também.

— Estou?

— Você trocou a torneira inteira da cozinha por causa de uma goteira. — Jack riu alto. — Isso é coisa de psicopata.

Pigarreei.

— Mas eu gosto da torneira nova.

— Eu também. — Jack coçou a testa e disse: — Então o que foi? Você está puto porque ela decidiu terminar antes de você?

Eu suspirei, olhei para meu melhor amigo e decidi parar de mentir.

— Estou puto porque eu meio que... acho... acho que gosto dela de verdade. Não sei.

Jack balançou a cabeça.

— Mas... é a *Livvie*.

Nós passamos a vida inteira comentando como Olivia era uma doida pé no saco.

— Eu sei, também não consigo acreditar.

— Pelo amor de Deus. — Ele revirou os olhos e balançou a cabeça. — Bem, então é melhor pegar o celular e ler a porra da mensagem dela. Ela parece ter se arrependido de alguma coisa e quer conversar.

Eu me abaixei e peguei o celular com a tela recém-rachada, olhando para Jack.

— Então... mas e aí? Você está ok com isso?

— Eca. Porra. Sei lá. — Ele retorceu o rosto como se algo estivesse cheirando mal. — Eu sei que você é um cara legal, então se gosta mesmo da Olivia e não pretende brincar com os sentimentos dela, não vou estragar nossa amizade por causa disso.

Fiquei genuinamente surpreso ao ouvir aquilo.

— Mas vou precisar de uma esfoliação cerebral depois do que eu li. Tipo, a visão de vocês dois juntos provavelmente vai me fazer vomitar. Aviso logo.

Isso me fez rir, e Jack riu também.

— Anotado — respondi, me sentindo tão aliviado que quase o abracei.

— Vou vomitar em todos os lugares possíveis. — Ele saiu para a sala de estar, mas continuou falando. — Vai ser um mar de vômito. Um oceano de vômito.

— Entendi.

— Nível *O Exorcista*.

— Sim, vômito. — Saí do escritório atrás dele. — Já entendi essa parte.

— Você já viu aquela cena de *Carrie*, com o balde de sangue de porco? Vai ser assim, só que em vez de sangue de porco...

Dei risada.

— Caramba, Jack, dá para parar de falar de vômito?

Olivia

Meu coração estava na boca quando ouvi as batidas na porta. Eu nunca me senti intimidada por Colin, mas por alguma razão estava muito nervosa para pedir desculpas.

Provavelmente porque ele tinha demorado uma hora para responder e depois mandado apenas "Blz".

Tossi e abri a porta.

E lá estava ele. Sua expressão era dura, séria e indecifrável, tão bonita que fazia eu me sentir apreensiva e eufórica ao mesmo tempo. Mas seu cabelo estava meio bagunçado e havia marcas vermelhas em seu rosto.

— Oi. Entre — convidei.

Ele caminhou em minha direção, o que me fez dar alguns passos para trás. Deixou a porta bater e se aproximou de mim, dizendo:

— Tenho boas e más notícias.

Abri a boca — como se formava frases? — e a fechei de novo. Eu não estava esperando aquilo.

Ou vê-lo ali, no meu apartamento.

Me esforcei para falar.

— Qual é a boa?

Sua expressão se suavizou um pouco e ele me deu um sorrisinho antes de responder.

— Decidi perdoar você.

— Ah, que bom. — O sorriso dele se tornou lascivo, o que me deixou nervosa de novo, mas de um jeito diferente. — E qual é a má notícia?

Seu sorriso vacilou e seus olhos azuis percorreram todo o meu rosto antes de responder.

— Seu irmão sabe sobre a gente

— *Quê?* Meu Deus! — Abri a boca e não consegui mais fechá-la. — Como? Como você sabe? O que ele disse?

Ele se afastou e foi para a cozinha.

— Então, o que você fez hoje à noite, Marshall? Está bonita.

Hã?

— Hum, obrigada. Tive um encontro. Pelo amor de Deus, conta logo sobre meu irmão.

Ele pegou duas cervejas da geladeira e passou uma para mim.

— Relaxa. Primeiro me fala sobre o encontro.

Peguei a cerveja, mas, em vez de responder, revirei os olhos e deixei a cozinha.

— Vou lá para fora — avisei, passando pela sala e saindo para a sacada escura.

Precisava de um pouco de ar, porque não tinha ideia do que estava acontecendo e não gostava disso.

Colin não parecia nada preocupado com o fato de Jack saber sobre nós, o que era estranho. E não só isso, ele também não parecia nada chateado comigo nem com meu comportamento.

Senti que ele estava brincando comigo. Como o Colin de antigamente, que me zoava, e que, no fim das contas, me fazia mal.

Eu esperei, com as costas apoiadas na grade. Quando ele saiu, contei:

— Foi só um encontro às cegas.

— E...? — Ele se jogou na cadeira da sacada, esticando as pernas enquanto abria a cerveja.

— E... cara legal, zero química — respondi, abrindo a minha cerveja. — Agora me conta o que aconteceu com Jack.

— Bem — começou ele, me olhando como se eu fosse uma criança travessa —, depois que você me arrastou para o corredor, ele gritou comigo e simplesmente pegou meu celular e leu nossas mensagens.

— Sério?

Eu me lembrava de ter enviado algo com as palavras "Noite do Sexo", por isso não deve ter sido muito difícil para ele juntar as peças. E Jack sempre foi superprotetor, então a reação dele não foi bem uma surpresa.

— Ai, meu Deus, que merda, me desculpe. O que você fez? O que você disse? Você disse que foi um erro?

— Bom, depois de a gente sair na mão, porque, sim, seu irmão queria me dar uma surra, chegamos a um acordo.

Eu olhei para seu rosto calmo, tranquilo, divertido, levemente iluminado pelas luzes da cidade, sem entender por que ele não estava desesperado como eu. Colin e meu irmão tinham brigado e ele achava isso engraçado?

— Como assim, "um acordo"?

Colin olhava para sua cerveja quando disse:

— Contanto que eu não esteja brincando com você, ele meio que está de boa com isso.

— Calma. — Não entendi. — Ele está de boa com *o quê*, exatamente?

— Eu e você.

Colin levantou os olhos e me observou com atenção enquanto eu me esforçava ao máximo para não expressar nenhuma emoção.

Porque, por dentro, eu estava totalmente confusa. O que estava acontecendo? O que significava "Eu e você"? Será que Colin queria algo comigo? Era isso? Parte de mim estava dando pulinhos animados com a possibilidade de Colin *querer* algo comigo.

Ele era engraçado, seguro de si, bonito e bom de cama, mas aquele "eu e você" se referia a um erro e nada mais. Ele era perfeito e eu, um caos ambulante. Ele era um Audi e eu, um Corolla. Colin e eu juntos era algo que não fazia nenhum sentido.

Ele não quis dizer aquilo.

Olhei para minha cerveja e fiquei mexendo no gargalo:

— Ele não se importa com o fato de termos dormido juntos?

— Ele está de boa com isso. — Colin levou a cerveja até a boca. — E com o que quer que a gente decida fazer a partir de agora.

— "O que quer que a gente decida fazer a partir de agora"? — Parei de tentar esconder minhas emoções e o encarei com minha melhor cara de *que porra é* essa. — O que isso significa?

— Significa que ele vai continuar de boa mesmo que a gente decida que não foi um erro — respondeu ele, se levantando da cadeira com um sorriso sexy.

De repente fiquei sem palavras.

— Mas, hum, *foi* um erro.

Colin se aproximou tanto que eu precisei olhar para cima para encará-lo. Sua voz soou grave no ar noturno quando ele murmurou:
— Foi?

Engoli em seco, sentindo meu coração disparar. Alguém acelerou uma moto lá embaixo.

— Bom, eu acho que... — tentei dizer.

— Você realmente vai me falar que não dorme pensando naquela noite? — Ele colocou uma mecha do meu cabelo atrás da minha orelha antes de continuar. — Eu penso nisso o tempo todo. Estou obcecado com os seus gemidos e com a cara que você fez quando me disse para mostrar minhas habilidades.

Eu estava comovida, mas ainda não sabia se ele estava falando só de sexo ou de algo mais.

— Colin...

— Por que não tentar? — O sorriso sexy desapareceu e deu lugar a um tom de voz doce. — Qual o problema em ver onde isso vai dar?

Ele me deixou hipnotizada e completamente encantada com a possibilidade de me envolver com ele de verdade. A ideia de ter Colin por inteiro era irresistível e um pouco inebriante.

Mas era fácil para ele. Colin "veria onde isso vai dar" sem grandes preocupações porque ele não tinha nada a perder. Colin Beck, gênio da matemática que veio de berço de ouro e que parecia ter saído de uma revista, poderia simplesmente dar de ombros e cair fora quando ficasse entediado.

Mas eu sentia que se — aliás, *quando* — ele fizesse isso eu ficaria completamente arrasada.

— Não parece uma má ideia pra você? — Olhei para ele, me perguntando por que minha voz estava tão distante e trêmula mesmo sabendo que aquilo era a verdade. — A gente nem se dá bem, nossa relação só funciona na cama.

— Fala sério, Marshall — disse ele, aproximando a boca da minha. — Claro que a gente se dá bem.

— Droga. — Foi a última coisa que consegui sussurrar antes de os lábios de Colin tocarem os meus e me fazerem esquecer todo o meu bom senso.

A boca dele era tão maravilhosa e perfeita quanto eu me lembrava, e ele me devorou completamente.

Ai, meu Deusssss.

Colin me beijou como se fosse o herói de um filme de ação e o mundo estivesse prestes a acabar. Ele me beijou como se eu fosse sua maior obsessão e ele não pudesse acreditar que finalmente estávamos juntos.

Eu envolvi seu pescoço com meus braços e fiz o melhor que pude para retribuir, me doando completamente ao beijo. Sorri contra sua boca e deixei escapar um gemido quando ele mordeu meu lábio inferior e me pegou no colo.

— Isso não significa nada — falei enquanto enlaçava minhas pernas em torno do seu corpo.

— Óbvio que não — disse Colin, pouco antes de descer a boca e passar os lábios pelo meu pescoço.

Ele me levou para dentro e subiu as escadas até o quarto, seu aperto se intensificando à medida que o beijo ficava ainda mais excitante.

Sem brincadeira, o beijo de Colin Beck sozinho poderia fazer uma mulher ter um orgasmo.

Ele me colocou no chão ao lado da cama. Eu mal conseguia abrir os olhos, mas notei seu olhar ardente e meu coração se acelerando.

— Tira a camisa, Beck — pedi.

A camisa desapareceu em um segundo. Ele olhou para mim e eu coloquei as duas mãos em seu peito quente.

Pelo amor dos deuses gregos. Não era só o fato de ele ser definido e bronzeado e ter aquela tatuagem deliciosa que começava no ombro e descia pelo braço trincado. Essas coisas o tornavam ridiculamente gostoso, mas a pequena cicatriz de apendicectomia e o caminho de pelos indo do umbigo para baixo eram o que o tornavam sexy, porque eram coisas mais íntimas.

E eu estava vendo bem de perto. Em meu quarto.

Meu.

— Tem como você tirar esse vestido, mas ficar de bota, gata? — Ele me encarou com olhos intensos e pesados, como se eu fosse a mulher mais sexy que ele já tinha visto, o que fez eu me sentir a mulher mais sexy do planeta. A voz grave dele era como um ronronar. — Eu amei essas botas.

— Consegue abrir o zíper?

Virei de costas e levantei o cabelo.

Fiquei feliz por 1) estar usando um vestido com um zíper e 2) estar usando uma das minhas melhores calcinhas e uma das minhas melhores meias sete oitavos.

Observação: eu sempre usava meia sete oitavos porque odiava a sobra de tecido na virilha das meias-calças. E, nas raras ocasiões em que me despi na frente de um homem enquanto as usava, eu me senti uma verdadeira deusa.

Tremi quando senti a respiração quente de Colin na minha nuca e seus dedos puxando para baixo o zíper do vestido, que escorregou e caiu aos meus pés.

Mordi o interior da bochecha e me virei, embora não devesse ter desperdiçado aquele segundo com nervosismo. O fervor em seu rosto ao examinar cada parte do meu corpo fez qualquer preocupação que eu tivesse sumir.

— Meu Deus, Marshall — sussurrou ele de uma maneira que me fez estremecer. — Você é gostosa pra caralho.

Eu coloquei minhas mãos de volta em seu peito, querendo trazê-lo para mais perto, mas quando ele começou a me beijar daquela forma outra vez e a deslizar as mãos por todo o meu corpo, senti um calafrio.

Porque ele tinha ignorado o que eu disse.

E eu também. Estávamos com tanto desejo que, querendo ou não, iríamos descobrir "no que isso ia dar".

E não é que eu não queria.

Eu simplesmente não podia.

Eu não podia fazer isso.

Colin

Ela estava se distanciando.

Olivia ainda me beijava de volta, mas por alguma razão eu sabia que ela estava aflita. Seus músculos estavam tensos, suas mãos paradas e sua mente parecia estar em outro lugar.

Por dentro, ela estava entrando em pânico, fugindo daquele momento.

Fugindo de mim.

Eu ainda não sabia se era por causa daquele filho da puta do Eli ou de outra pessoa, mas aquilo a estava deixando apreensiva. Eu não tinha a intenção de ser carinhoso demais ou de fazer as coisas devagar demais, já tinha aprendido, mas quase desmaiei quando a vi com as botas de salto, as meias e a calcinha de renda.

Senti vontade de cair de joelhos e idolatrar a beleza de Olivia, mas, por alguma razão, esse tipo de atenção mexia com ela.

Então mudei o ritmo do beijo, indo mais rápido, mais forte, mais urgente. Devorando aquela boca deliciosa como se eu fosse um animal esfomeado.

E eu era. Naquele momento eu era.

Em vez de ir para a cama, onde eu queria deitá-la para beijar cada centímetro de seu corpo, a levei até a meia-parede do quarto e comecei a espalhar beijos desesperados por seu corpo enquanto terminava de despi-la.

E, ainda bem, Olivia começou a voltar com mais intensidade do que antes. Mordeu meu lábio inferior com força e eu grunhi, me perguntando quando é que eu tinha ficado tão em sintonia com ela. E não apenas isso, mas obcecado por suas reações.

Afastei minha boca e a virei, ficando por trás, e firmei seus dedos sobre o corrimão da meia-parede antes de colocar minhas mãos ao lado das dela.

— Melhor assim? — murmurei em seu ouvido.

Mordi seu pescoço macio e inspirei seu cheiro, aproximando meu corpo ainda mais.

— *Sim* — sussurrou ela, curvando-se um pouco para a frente e pressionando o corpo contra o meu, o que me deixou completamente maluco.

Depois disso, nós dois nos esquecemos de pensar e mergulhamos juntos de cabeça.

— Colin, **larga essa** panela e senta aqui.

Eu me virei do fogão para Olivia, que me olhava do banquinho com a testa franzida e a boca cheia de panquecas. Ela sempre foi muito expressiva. Quando éramos crianças, eu conseguia perceber pelo queixo levantado quando ela estava mentindo, pelas sobrancelhas franzidas quando estava confusa e sua mente trabalhando a mil por hora, e pelo revirar de olhos se estava irritada.

Nada tinha mudado, mas, de repente, isso se tornou encantador. Vê-la franzindo a sobrancelha enquanto esperava eu me sentar para que conversássemos sobre "tudo isso" era meio fofo.

— Ainda não terminei. — Virei minha omelete de clara de ovo e espinafre com a espátula e disse: — Mais dois minutos e depois você pode falar.

Depois da noite incrível que passamos juntos, eu acordei cheio de energia às cinco da manhã. Fiquei deitado nos lençóis cor-de-rosa — horrorosos — por vinte minutos antes de finalmente decidir me levantar para fazer o café da manhã. Eu sabia que ela não ia gostar de um gesto romântico, tipo receber café na cama, mas com certeza não odiaria encontrar uma montanha de panquecas na cozinha quando acordasse.

Tive que ir de fininho até minha casa para pegar os ingredientes (Jack estava fora, graças a Deus) e depois voltar para pegar panelas e utensílios de cozinha, mas consegui terminar antes de ela acordar.

Assim que entrou na cozinha, Olivia disse:

— Olha só, Colin, precisamos falar sobre o que tá acontecendo. Isso é muito fofo, mas ontem foi uma péssima ideia e...

— Você está me zoando, né? — Balancei a cabeça teatralmente. — Eu estou morrendo de fome porque ontem uma predadora sexual me deu a maior canseira e eu acordei cheio de apetite. Isso é só comida. Não tem nada de romântico nisso, cabeçona.

Ela ficou lá, parada, parecendo atordoada, até que eu coloquei um prato de panquecas em sua mão.

— Coma primeiro, fale depois.

Não sei como, mas de repente eu estava vendo "tudo isso" de uma forma completamente diferente. Parecia ser uma péssima ideia, Olivia e eu, mas eu tinha acordado naquela manhã pensando: "Por que não tentar e aproveitar enquanto dura?" Eu estava gostando muito, e estar com ela era divertido, então qual era o problema em deixar as coisas rolarem?

Talvez tenha sido o alívio de saber que Jack não era contra. Ele estar tranquilo com o nosso possível relacionamento fez com que a ideia parecesse mais real. Quando eu nos imaginava juntos, já não parecia tão absurdo.

Coloquei a omelete no prato de Olivia e levei até a ilha da cozinha. Puxei o outro banco e me sentei, dizendo:

— Ok. Pode falar.

Olivia

Olhei para Colin do outro lado da ilha e de repente me deu um branco.

Ele era bom nisso, em me fazer perder o foco. Eu não fazia ideia de como tínhamos acabado transando de novo. Num minuto eu estava dizendo que era uma péssima ideia e no outro estava acordando com o cheiro da colônia dele no meu travesseiro depois de uma noite alucinante de sexo.

— Acho que você está pensando demais. — Ele pousou o copo depois de tomar um gole. — Você nunca teve um casinho divertido? Uma relação que você sabe que provavelmente vai acabar em algum momento, mas que é boa enquanto dura?

— Não.

Pensar em Colin tendo um "casinho" com alguém me deixou morrendo de ciúme, o que, por sua vez, me deixou irritada. Cruzei os braços.

— Você está falando de uma amizade colorida?

— Nossa, não. Seu irmão me mataria. — Ele cortou um pedaço da omelete no prato. — Uma amizade colorida é só amizade platônica com sexo sigiloso de vez em quando.

— E como o seu casinho divertido seria diferente disso?

Fiquei impressionada com a minha habilidade de soar despreocupada e tranquila, quando na realidade estava desesperada e precisando de um tempo para processar tudo aquilo. Eu ainda não conseguia assimilar a ideia de que Colin poderia querer *qualquer coisa* comigo além de sexo.

— Para começo de conversa, não seria secreto. — Ele deslizou o garfo na língua e eu senti um frio na barriga ao me lembrar dela sobre a tatuagem nas minhas costas. — É como uma relação normal. A gente sai junto, faço você ter orgasmos múltiplos, peço nudes no meio da tarde etc. Mas concordamos que quando não for mais divertido, cada um vai para um lado, sem ressentimentos.

Minha boca ficou seca. Como isso poderia certo? Não é como se nós dois fôssemos achar ao mesmo tempo que as coisas não estavam mais divertidas, trocar um aperto de mão e seguir a vida alegremente. Parecia a fórmula do desastre pra mim.

Mas, mesmo sabendo disso, a ideia de sair para jantar com Colin, andar de mãos dadas e flertar com ele por mensagem era tão intrigante que me senti tentada.

— Você está simplificando demais as coisas, Colin.

Ele inclinou a cabeça.

— Está com medo, Livvie?

— De quê?

— Quem está calculando demais agora? — disse ele, arqueando a sobrancelha.

Eu não sabia se dava risada ou uma choradinha quando o vi colocar os fones de ouvido, ajeitar alguma coisa no relógio e depois sair do apartamento como se aquilo fosse normal e ele fosse voltar mais tarde.

A gente tinha mesmo decidido ir em frente com aquilo?

E agora?

Cinco minutos depois, enquanto eu ainda estava em pânico, Colin me mandou uma mensagem.

Colin: Três coisas. 1) Não pira. 2) Me manda uma foto? 3) Posso te levar para jantar hoje?

Apesar de tudo, eu sorri e respondi: 1) Não estou pirando. 2) Talvez mais tarde. 3) Depende, para onde vai me levar?

Ele respondeu no mesmo instante: Você é quem manda, Marshall.

Eu havia saído para me divertir poucas vezes desde que voltei à cidade, então não fazia ideia de quais restaurantes eram bons para um encontro. Aí me lembrei de Dana me contando que ela e Will ganharam um cupom para o Fleming's de cento e cinquenta dólares, o que não cobriu nem o jantar, então decidi arriscar.

Eu: Fleming's.

Eu pensei que ele ia dar para trás ou sugerir a lanchonete do nosso quarteirão, mas Colin respondeu:

Ah, já entendi tudo. Pego você às 18h.

Eu ri quando vi a resposta e depois deixei meu celular no balcão. Jantar naquele horário parecia meio cedo para um cara como Colin; ele parecia fazer o tipo que jantava às dez da noite.
No momento em que pensei isso, meu celular vibrou outra vez.

Colin: Você ainda janta cedo, né?

Voltei a deixar o celular no balcão, mordendo meu lábio inferior. Colin se lembrou de que eu jantava cedo quando morávamos juntos? Talvez eu o tenha subestimado.

17

Olivia

Não que isso fosse motivo de orgulho, mas sequei três taças de vinho enquanto esperava por Colin.

Só precisava me acalmar, o que era estranho por si só.

Eu me sentia completamente à vontade perto dele; estava acostumada com isso. Mas eu não sabia se o Colin do Encontro seria diferente do Colin Normal. Eu o conhecia há séculos, mas aquele era um território desconhecido.

Mas o vinho funcionou e eu estava bem relaxada quando ele bateu à porta.

— Oi.

Não consegui dizer mais nada porque Colin estava muito bonito. E não era a beleza de sempre: ele estava *descolado,* usando uma calça preta justa e uma jaqueta, ou seja, o completo oposto de seu traje de trabalho habitual.

E estava de óculos.

Eu meio que senti vontade de cancelar o encontro e ficar em casa. No quarto.

— Uau — disse Colin, me olhando da cabeça aos pés e fazendo minhas bochechas esquentarem. — Você está muito linda, Livvie.

Dana tinha me emprestado um suéter vermelho com os ombros de fora, uma saia preta e botas de camurça de cano médio lindas de morrer. As roupas dela faziam com que eu me sentisse adulta e atraente e eu não queria devolvê-las nunca mais.

— Você também. — Olhei para a altura do cinto dele e disse: — Seu tanquinho também não fica nada mal nessa camisa.

— Mas ainda é nojento, né?

Peguei minha bolsa e meu casaco.

— Acho que você já sabe a minha opinião.

— Você deixou um chupão na minha barriga.

— Já disse o que eu acho. Fim de papo.

Saímos do apartamento rindo.

— Você disse ao Jack que vamos sair hoje? — perguntei.

— Não, ele não estava em casa quando cheguei, mas vou contar.

Ele pressionou o botão do elevador e pegou minha mão. Sua pele quente tocou a minha e uma onda de calor tomou conta do meu corpo.

Eu soltei uma risadinha.

— Do que você está rindo? — Ele olhou para mim com um sorriso e eu ri de novo.

— Não é meio bizarro? Estou de mãos dadas com o amigo de Jack que na sétima série disse que meu cabelo frisado parecia batata frita queimada.

Ele deu uma risada alta e soltou minha mão.

— Peraí, era você? Eu estou saindo com a garota que passou com o carro por cima do próprio pé?

O elevador chegou; as portas se abriram e nós entramos.

— Tecnicamente, não foi minha culpa. A embreagem daquele carro sempre foi meio doida.

— Aham, tá.

— *É sério.*

Coloquei as mãos nos bolsos. Colin chegou mais perto e me pressionou com seu corpo contra a parede do elevador, me prendendo com um braço de cada lado.

— Sabe, a gente pode se divertir muito aqui, Marshall.

— Isso não soa muito apropriado para um primeiro encontro — respondi.

Apesar de minhas palavras, a voz trêmula me entregou quando Colin me deu um beijo levíssimo no pescoço.

Jogamos conversa fora durante o caminho até o restaurante, e eu só fui me lembrar de que estávamos num encontro quando estacionamos o carro. Colin deu a volta até o lado do passageiro e, assim que saí, fechou a porta e segurou minha mão.

Ele entrelaçou nossos dedos outra vez e eu senti um frio na barriga enquanto íamos em direção ao restaurante, de mãos dadas como um casal normal. A brisa fresca da noite soprava meu cabelo nas bochechas. Olhei para Colin e perguntei:

— Esse lugar parece muito chique. Você já veio aqui?

Colin

Se eu já havia estado ali?

Bom, a verdade é que eu já tinha ido naquele restaurante milhares de vezes, já que a casa dos meus pais era a três quarteirões de distância. Meus avós já haviam fechado o restaurante inteiro para uma comemoração de bodas e a festa de confraternização da empresa era ali todo ano.

O chef jogava golfe com meu tio Simon.

Mas Liv já me achava esnobe, então achei melhor não contar que depois da minha formatura do ensino médio eu e minha família fomos almoçar naquela churrascaria superfaturada.

Estava pensando em como responder quando um latido alto nos interrompeu. Nós dois nos viramos e vimos um cachorro enorme e peludo correndo pelo estacionamento na nossa direção. Ele vinha a toda velocidade, seguido por seu dono, que gritava atrás dele. A língua do bicho pendia para fora e ele parecia brincalhão, mas seu tamanho fazia um pastor alemão parecer delicado.

Antes que eu pudesse tirar Liv do caminho, ela soltou minha mão e se agachou, chamando o cachorro monstruoso que passou a vir na direção dela.

— Liv...

Ela gritou quando ele a derrubou, e morreu de rir enquanto ele a lambia e saltava por cima dela com as patas gigantes. O rabo do cachorro abanava desenfreadamente e batia nela, fazendo-a rir ainda mais.

— Finneas! — O dono finalmente alcançou o cão e o segurou pela coleira, tirando-o de cima de Olivia. — Meu Deus, me desculpe.

Finneas resmungou, triste por ter sido afastado de sua nova amiga, mas sentou-se obediente quando recebeu a ordem.

Ajudei Olivia a levantar.

— Você está bem?

— Estou. — Ela ainda ria enquanto limpava a sujeira da saia, olhando para o cachorro. — Ele é a coisinha mais fofa.

Eu e o dono do cão nos entreolhamos, ambos sem entender como ela estava tão tranquila. Depois olhei para Olivia, que ainda elogiava o cachorro. Ela parecia estar completamente apaixonada por ele.

Mesmo na luz fraca da noite dava para ver marcas de patas em sua roupa e um buraco na perna direita da meia-calça. Ela provavelmente tinha visto isso também ao se limpar, mas não parecia preocupada.

Tudo aquilo valia a pena só porque ela viu um cachorro bonitinho?

Eu inclinei a cabeça e a observei enquanto ela falava com o cachorro com uma voz fininha. Ela estava tão viva, transbordando de alegria, que era impossível não sorrir. Tive a impressão de que aquele momento com o cão dizia muito sobre o "azar" de Olivia.

Ela sempre se metia em situações ridículas, mas era de um jeito que só uma pessoa que vive a vida ao máximo faria. Quando levei um pé na bunda na faculdade, engoli a dor e segui em frente, sofrendo em silêncio. Mas quando Livvie descobriu que havia sido traída, fez toda uma cerimônia para queimar as cartas do ex. Não deu muito certo, já que ela acabou incendiando o próprio apartamento, mas imagino que o ritual deve ter sido catártico no momento de sofrimento.

Finneas e o dono foram embora. Livvie olhou para mim e seu sorriso diminuiu um pouco.

— Se quiser pular o jantar agora que estou toda suja, eu entendo. Podemos passar em algum drive-thru e depois ir direto para casa.

Balancei a cabeça e peguei sua mão outra vez. Eu estava com essa estranha vontade de segurar sua mão o tempo todo. Disse:

— Você está maravilhosa, Marshall. Vamos entrar.

Ela pareceu surpresa com meu comentário e então sorriu.

— Caramba, minhas habilidades na cama realmente mexeram com sua cabeça — disse ela.

Era isso.
Caramba.
Eu finalmente tinha desvendado o enigma que era Olivia Marshall.

Livvie derrubou vinho tinto na mesa apenas cinco minutos depois de nos sentarmos, mas não foi por ser muito desastrada, mas sim por estar gesticulando com empolgação enquanto me explicava exatamente como o pai tinha reanimado um gato atingido por um raio.

Ela não estava alheia ao copo, mas tão focada na própria história que não percebeu as taças caras de cristal em sua frente.

Olivia não era tão destrambelhada assim, só vivia na resolução máxima, com todas as suas cores vibrantes. Ou algo mais poético do que isso. Mas, assim que entendi, não consegui mais ver as coisas de outra forma. Estava em tudo o que ela fazia e também era a razão pela qual todo mundo gostava tanto dela.

Por exemplo, depois que Liv derramou o vinho, ela não chamou o garçom. Em vez disso, ela tirou um pacote de lenços de papel da bolsa e tentou limpar tudo sozinha. Eu balançava a cabeça enquanto a observava tentar em vão. Acabamos rindo do desastre, apesar de tudo.

O garçom ficou visivelmente comovido quando viu o que ela estava fazendo. Porque ali, entre aquela multidão de gente rica, de clientes arrogantes e intolerantes, estava uma bagunceira risonha pedindo mil desculpas enquanto tentava limpar a própria bagunça.

Depois de todo aquele caos, começamos um jogo que consistia em falar sobre lembranças de infância ridículas que eu tinha dela enquanto ela me corrigia e me contava como as coisas tinham realmente acontecido. Ela bufou e deu um tapinha no meu dedo quando eu apontei para ela, acusando-a de ter roubado meu boné de beisebol roxo dos Cubs na terceira série; achei aquilo tão charmoso que foi até patético.

Estávamos rindo quando de repente meus avós apareceram diante da mesa.

— Colin! — Minha avó sorriu para mim por meio segundo antes de olhar para Liv.

Droga. Me segurei para não soltar um palavrão e fiquei de pé para abraçá-la, um pouco descontente com o timing daquela reunião.

— Vó. — Fiquei de pé no mesmo instante e dei um beijo em sua bochecha. — Que bom ver você.

Meus avós eram pessoas simpáticas, mas muito tradicionais. Se um cachorro tivesse latido para minha avó, meu avô provavelmente teria passado por cima dele com a Mercedes e depois chamado o maître para limpar a sujeira do estacionamento.

Olhei para Olivia, que sorria.

— Esta é minha amiga, Olivia Marshall. Olivia, esses são meus avós.

— É um prazer conhecer vocês.

Livvie ficou de pé e vi minha avó analisando a sujeira no suéter e a meia-calça rasgada dela. Ela apertou a mão dos dois e disse para meu avô, sorrindo:

— Já vi de quem Colin puxou o cabelo bonito.

Meu avô riu e brincou que os fios brancos do cabelo eram cortesia das mulheres da família. Minha avó sorriu, mas percebi que as roupas de Olivia tinham chamado sua atenção.

— Vamos deixar vocês voltarem para o jantar, querido. — Ela apertou minha mão. — Venha nos ver essa semana.

— Pode deixar.

Assim que foram embora, Olivia cochichou:

— Sua avó com certeza viu as marcas de patas no meu suéter.

Eu dei de ombros e peguei meu copo de uísque.

— E daí?

Ela franziu a testa.

— Você está muito calmo, Beck.

— Talvez seja porque ando transando muito ultimamente. Fico tranquilo.

Ela revirou os olhos e afastou a cadeira, rindo.

— Já volto, seu esquisito.

Depois que ela se afastou, nossa comida chegou. Meu celular vibrou com uma notificação no momento em que o garçom enchia a taça dela.

Era Olivia.

Mandando uma mensagem para o Número Desconhecido.

Do banheiro feminino.

Olivia: Preciso falar com vc. Posso te ligar mais tarde?

Eu me certifiquei de que meu celular estava no modo silencioso e o guardei no bolso. O que era aquilo? Ela estava num encontro comigo, mas pensando em Nick? Mandando mensagens para Nick do banheiro?

Eu sabia que o Cara do Número Desconhecido não era real e que o número não era de Nick, mas meu estômago revirou ao pensar que ela queria falar com ele.

Olivia

Comprimi os lábios e guardei o gloss na bolsa. Eu me sentia melhor agora que havia decidido explicar as coisas para o Cara do Número Desconhecido. Queria aproveitar minha noite sem sentir tanta culpa.

Desde o momento em que Colin segurou minha mão no elevador, me senti uma grande mentirosa. Não estava acontecendo nada com o Cara do Número Desconhecido, mas parecia errado ter um relacionamento secreto via mensagens sem que Colin soubesse.

A verdade era que ainda que Colin fosse só uma "amizade colorida", se ele estivesse fazendo a mesma coisa, ou seja, se tivesse uma Garota do Número Desconhecido... bom, eu não ia gostar muito.

Ainda que a gente não tenha conversado sobre exclusividade.

Eu estava triste com a ideia de me afastar do Cara do Número Desconhecido; ele foi muito importante pra mim depois que voltei para Omaha, mas a falta de química com Nick e a química insana com Colin me mostraram que aquela era a coisa certa a fazer.

Antes de sair do banheiro, limpei as marcas de pata da saia e do suéter e depois joguei a meia-calça no lixo do banheiro.

Prontinho.

Quando voltei para a mesa, Colin olhou para minhas pernas e sorriu. Ele sempre notava os pequenos detalhes — como a ausência da minha meia-calça ou como eu gostava de jantar cedo —, o que me fazia pensar que ele se importava comigo.

Mesmo que fosse temporariamente.

Colin parecia um pouco mais calado quando voltei. Ele ainda estava galanteador e divertido, mas havia algo errado.

Talvez não se desse bem com os avós e a presença deles o tivesse incomodado. Ou talvez ele estivesse envergonhado por ter sido visto com uma garota que parecia ter acabado de revirar uma caçamba de lixo.

Eu queria melhorar o clima pesado, então me virei para ele quando entramos no carro e disse:

— Tá bom. Pergunta. Você pensava em mim antes de eu me mudar para o apartamento de vocês?

Ele me olhou de soslaio de um jeito estranho.

— Quê?

Eu dei risada e olhei pela janela.

— Vou dar um exemplo. Mesmo te odiando por ser tão babaca, teve um dia em que você dormiu na nossa casa. Você estava no último ano do ensino médio. Eu precisei entrar no quarto de Jack para procurar meu carregador, e encontrei você lá.

Ele me olhou de relance, balançando a cabeça devagar.

— Você estava no sétimo sono, dormindo no colchão inflável só de cueca boxer. Bom, essa nerd aqui quase teve um infarto.

Ele soltou um de seus risos contagiantes e uma onda de calor percorreu meu corpo.

— Sua pervertida!

— É isso mesmo. Ainda me lembro *exatamente* de como era aquela cueca. — Sorri. — Sua vez.

— Nem ferrando. Eu tenho o direito de ficar calado. — Ele deu a seta e trocou de faixa.

— Ah, fala sério. Conta! Você não se sentiu nem um pouquinho atraído por mim em todos esses anos?

— Não vou responder — disse ele, rindo.

— Bom, nesse caso eu queria não ter sido tão descarada assim, de bandeja.

Ele virou um pouco a cabeça e pisou no acelerador. Ver aquele carro chique avançar como uma bala de canhão me fez sorrir.

— Tá bom. Você se lembra de quando foi expulsa do alojamento?

— Ainda tenho pesadelos com aqueles sprinklers de incêndio.

— Eu me virei no banco do carro e perguntei: — Espera, você me achou gostosa quando foi jantar com a gente?

— Sossega, mulher. — Ele sorriu para mim e depois voltou os olhos para o trânsito. — Quando fui jantar com vocês, percebi duas coisas. Primeiro, que a faculdade tinha transformado você na maior espertinha. De repente, você tinha resposta para todas as brincadeiras que eu fazia com você.

— Aaah, que sexy.

Ele deu risada, percebendo minha decepção.

— A segunda coisa foi que você revirava os olhos para literalmente tudo o que eu dizia.

— Você realmente *nunca* tinha me achado gostosa antes?

Colin riu outra vez e eu percebi que seu humor havia melhorado de novo — ele parecia achar aquilo muito engraçado. Mas eu não podia acreditar que ele nunca tinha me olhado com segundas intenções. Ele explicou:

— Eu me lembro de pensar que seus olhos eram muito verdes quando você revirava eles. E você tinha cílios muito compridos.

— Pode parar, não preciso dos seus elogios falsos.

Ele ficou um minuto em silêncio antes de dizer:

— Então você passou todos esses anos me imaginando dormindo de cueca.

— Vai sonhando — respondi, morrendo de vergonha.

— Você literalmente acabou de dizer isso, Livvie.

— Quem, eu?

— Que conversa maluca é essa? — perguntou ele, rindo.

Naquele momento, fiquei um pouco espantada ao perceber que ter um encontro com Colin era *divertidíssimo*. Ficamos nos bicando até sairmos da rodovia, no que ele ficou quieto. Quando enfim estacionou no prédio, ele disse:

— Olha, sobre esse lance entre a gente...

— Não, Colin, não vou morar com você — provoquei. — Já fizemos isso antes e eu preciso ter meu espaço.

Ele ignorou minha piada por completo e continuou:

— Não importa quão casual seja, a gente é exclusivo um com o outro, certo?

— Hum... Você está perguntando ou afirmando?

Eu honestamente não sabia qual seria sua resposta, mas parecia importante para ele falar sobre isso, o que me fez sentir... não sei... sentimentos.

— Você teve um encontro esses dias. — Ele colocou o Audi em ponto morto antes de soltar a embreagem e puxar o freio de mão.

— Bom, não foi um encontro *de verdade* — respondi, me sentindo culpada pelo Cara do Número Desconhecido. — E nós não estávamos...

— Eu sei. — Colin olhou para mim e vi sua mandíbula contrair um pouco. — Mas eu não gostei.

Meu coração ficou acelerado quando ele me encarou. Ele estava com ciúmes? De mim? Eu coloquei o cabelo atrás da orelha.

— Eu nem sequer...

— Eu não gostei. — Senti o cheiro de seu perfume e fui atingida em cheio por lembranças de sua pele quente enquanto ele me olhava.

Pigarreei.

— Bom, vamos combinar de só ficar um com o outro enquanto estivermos saindo, então.

Sua boca se curvou em um sorriso, mas seus olhos permaneceram inexpressivos.

— Você sempre tem que lembrar que vai acabar?

— Sim.

— Tá bom. — Ele desligou o carro e abriu a porta. — Mala sem alça.

Isso me fez rir. Eu segurei a mão dele quando entramos no elevador e entrelacei nossos dedos. Ele me olhou, surpreso, e sua expressão foi tão adorável que eu senti que ia derreter.

Assim que a porta do elevador fechou, a boca de Colin estava na minha. Ele me jogou contra a parede usando o próprio corpo, não tão forte a ponto de me machucar, mas o suficiente para fazer meus joelhos ficarem bambos. Ele segurou meu rosto com suas mãos grandes, os dedos tocando meu cabelo enquanto sua boca fazia mágica.

Jesus amado, eu estava completamente entregue.

Ele pressionou seu corpo definido contra o meu e eu passei os dedos por sua nuca, ofegante, sentindo Colin em cada terminação nervosa de meu corpo.

— Hum... botão. — Afastei minha boca e ele aproveitou a deixa para morder meu pescoço. Respondi com um gemido. — Meu Deus, cadê o botão pra parar o elevador, Col?

Ele ergueu a cabeça apenas o bastante para perguntar:

— Você quer parar o elevador?

Olhei para Colin e ele estava completamente delicioso, parecendo desorientado com o cabelo desgrenhado.

Eu apenas fiz que sim com a cabeça.

Seus olhos se incendiaram.

E de repente a porcaria do elevador parou com um *ding*.

Eu pulei de seus braços, tentando ajeitar o cabelo, quando as portas se abriram e, para nossa surpresa, ainda estávamos no andar da garagem. Um homem com uma roupa hospitalar entrou no elevador, nos cumprimentou com um sorriso e apertou o número do meu andar.

Que ótimo. Pelo visto éramos vizinhos.

Encarei o chão quando o elevador começou a subir. Se olhasse para Colin, começaria a rir ou me encolheria de vergonha. Ou, quem sabe, acabaria pulando em cima dele e foda-se o médico. Não que eu me importasse muito com o que meu recém-descoberto vizinho pensava sobre mim, mas aquela situação toda de obviamente-prestes-a-transar-no-elevador era sintoma de um problema muito maior.

Eu não conseguia mais dizer não para Colin.

Não importava o quanto eu teimasse, bastaria seu toque ou seu beijo ou que ele flertasse comigo com aquele tom de voz grave para eu segui-lo oceano adentro, e eu nem sequer sabia nadar. (Era só perguntar para minha mãe. Ela ainda estava brava por ter pagado aulas de natação por cinco anos e mesmo assim eu continuar me recusando a nadar até a parte funda da piscina. Essa era a maior mágoa dela comigo.)

Mas a questão não era que Colin estivesse dando todas as cartas na nossa relação, a questão era que *eu nem tinha começado a jogar*.

Nem sequer tinha um baralho.

Levantei o olhar e Colin me encarava encostado na parede do elevador. Seus olhos pareciam arder em brasa, e eu senti todos os meus músculos virarem gelatina. Engoli em seco e voltei a encarar o chão.

Aquilo não daria certo.

Dei uma olhada nos números luminosos do elevador — faltavam mais dois andares.

Enquanto subíamos esses dois andares, bolei um plano de proteção.

A meu ver, o problema era que tudo estava acontecendo de uma vez só.

Se fosse só sexo, não teria problema porque seria puramente físico.

Se fosse apenas um encontro, não teria problema porque seria só por diversão.

Se eu pudesse separar as duas coisas, acho que de alguma forma conseguiria não desenvolver sentimentos que acabariam ultrapassando todo o resto. Eu já tinha passado um pouco dos limites seguros, mas acho que se tomasse cuidado tudo ficaria bem.

Colin

Saímos para o corredor logo atrás daquele cara, e me perguntei se ele conseguia sentir o quanto eu queria torcer o pescoço dele. Tecnicamente, ele não havia feito nada de errado, mas Liv tinha acabado de me pedir para parar o elevador.

Ela queria transar comigo no elevador, e eu quase caí de joelhos diante daquele pedido.

— Eu me diverti muito hoje — disse Olivia, sorrindo por cima do ombro a caminho de seu apartamento.

— Eu também — murmurei, mal conseguindo falar de tanto desejo.

Quando paramos diante do apartamento, ela tirou as chaves da bolsa e se virou para mim, de costas para a porta.

— Obrigada pelo jantar, foi muito bom. Me manda mensagem depois?

Eu fiquei confuso por um instante, depois notei como seus olhos estavam piscando.

E que ela mordia o canto da boca.

Ela estava nervosa.

Mas o grande problema era que eu não sabia o porquê. Ela estava com medo de que eu ficasse bravo por não me chamar para entrar? Eu não estava bravo, mas decepcionado não chegava nem perto de descrever o que eu estava sentindo.

Ou ela ainda estava nervosa com nosso relacionamento? Será que o nervosismo dela era o X da questão? Olhei para as sardas em seu nariz, desejando entender qual era a dela.

— Mando, pode deixar — respondi e me movi para mais perto, mas só dei um beijo na testa dela. — Obrigado pelo jantar, Marshall.

· · ·

Quando cheguei em casa, joguei minhas chaves no balcão e peguei o celular. Que noite. Quem diria que Olivia Marshall me viraria do avesso assim? No momento em que pensei isso, uma mensagem surgiu na tela do meu celular.

Olivia: Um encontro espetacular, Beck. Excelente. ☺

Eu ri sem saber o que responder. Concordo. Foi excelente.
— Cara, você viu o final do jogo? — perguntou Jack, levantando-se do sofá com uma cerveja. Eu nem tinha percebido que ele estava ali. — Foi muito louco.
Nem me lembrava de que jogo ele estava falando. Desde que me encontrei com Liv, o resto do mundo ficou em segundo plano.
— Não vi. O que aconteceu?
— Ganhamos faltando um minuto para a partida acabar. — Ele jogou a latinha no lixo reciclável e foi até a geladeira. — O que você fez hoje?
Eu imediatamente me senti um lixo pensando no que aconteceu com Olivia no elevador.
— Nada de mais, só saí para comer.
— Ah, vai cagar, Beck. — Jack revirou os olhos. — Você pode me contar se saiu com ela.
— Tá bom. — Suspirei e me sentei pesadamente em um dos banquinhos. — Eu estava com ela.
— Que surpresa — murmurou ele. — Você tá parecendo um mauricinho com essa roupa. Seria estranho se você *não tivesse* saído com ela.
— Isso se chama estilo. Você devia tentar trabalhar um pouco nisso.
— Eu me saio muito bem sem as suas roupinhas sob medida.
Eu passei a mão pelo cabelo, odiando me sentir tão canalha.
— Escuta, Jack. Você sabe que eu nunca, nunca, nunca tinha pensado em tentar qualquer coisa com sua irmã antes de ela vir morar aqui, né?

Ele fechou a porta da geladeira com duas cervejas na mão e se sentou ao meu lado, me entregando uma.

— Sei.

— Eu ainda não sei como isso foi acontecer — respondi, aceitando a garrafa.

Eu não conseguia mais me lembrar da Olivia pentelha. A única que eu conseguia enxergar era a que tinha rolado no chão do estacionamento com um cachorro do tamanho de um lobo, dando uma gargalhada que fazia um arrepio percorrer meu corpo.

— Estou falando sério. Mas eu sinto muito.

— Col. — Jack abriu a garrafa na quina do balcão da cozinha. — Livvie é um pé no saco, mas é dona do próprio nariz e pode fazer o que bem entender.

Ainda me surpreendia que Jack estivesse sendo tão compreensivo em relação a tudo aquilo. Ficamos ali sentados por alguns minutos, apenas bebendo, e então eu pensei: *Que se dane*. Tentei parecer despreocupado ao perguntar:

— Então, como era aquele tal de Eli?

Jack começou a rir.

— Ah, que coisinha mais fofa. Olha só pra você, todo inseguro por causa do ex. Dá vontade de apertar suas bochechas.

— Não estou inseguro, seu bosta. Só curioso.

— Aham, tá. — Ele deu seu sorriso sarcástico característico, obviamente sem acreditar em mim. — Ninguém sabe qual era a daquele cara. Eles se conheceram logo depois de Olivia se mudar para Chicago. Ela ficou muito apaixonada por ele, como é típico dela, e foi morar com ele uns três meses depois de começarem a namorar.

Eu detestava Eli.

— Ele era ok, acho. Eles pareciam se dar bem, nas poucas vezes em que estive lá, mas na real só falei com ele sobre cerveja.

— Óbvio.

Ele riu e tomou um gole da garrafa antes de continuar.

— Livvie achava que eles iam se casar. A gente se falou alguns meses antes de ela voltar e ela parecia toda empolgada porque ele estava trabalhando em um projeto secreto com uma das colegas dela. Ela achou que ele estava planejando um pedido de casamento, alguma surpresa romântica.

Merda. Ela havia contado ao Número Desconhecido que não tinha achado nada de mais quando o namorado começou a trabalhar em um projeto com a colega e que depois acabou descobrindo que ele a traiu com essa mulher.

Que droga.

— Depois a gente só foi se falar quando ela me ligou para dizer que o prédio estava pegando fogo e que ela precisava de um lugar para ficar. Então no fim das contas acho que sei tanto sobre ele quanto você.

Coitada da Liv. Digo, fico feliz por ela não ter ficado com aquele babaca, mas a situação toda deve ter sido horrível. Pensar que estava prestes a receber um pedido de casamento para depois acabar descobrindo uma traição.

— Como ele era?

— Você está caidinho mesmo. — Ele balançou a cabeça. — Acho que nunca vi você tão inseguro. Seja você mesmo, meu anjo, e ela vai amar você tanto quanto eu amo.

Dei risada.

— Como você é otário.

— Não precisa se preocupar. Ele usava barba, tinha um cabelo esquisito e um péssimo gosto musical.

Por que aquilo fez com que eu me sentisse melhor? Quantos anos eu tinha, catorze?

— O que ele ouvia?

— Ele tinha uma playlist do Felston no Spotify.

— Felston? — Fiz uma careta. A gente odiava essa banda. — Que idiota.

18

Olivia

As semanas seguintes se resumiram a uma rotina estranha e não planejada. Eu mandava currículos e redigia descrições chatas de carros; Colin, por sua vez, ia trabalhar e me ligava na volta para saber se eu estava precisando de alguma coisa. Eu sempre inventava algo — comida, sacos de lixo, um *growler* de cerveja artesanal —, só para ele vir me visitar.

E ele vinha.

Todas as noites ele aparecia no meu apartamento, afrouxava a gravata de um jeito que eu amava e passava a noite comigo. Comíamos juntos, víamos televisão e usávamos e abusávamos do corpo um do outro da forma mais deliciosa do mundo. Então, como um reloginho, Colin pegava suas coisas por volta da meia-noite e voltava para o próprio apartamento sem nunca insistir para ficar.

Era perfeito.

Se não fosse o meu medo constante de ele partir meu coração, eu poderia dizer que as coisas com Colin estavam o mais próximo possível da perfeição.

Estávamos sentados na sacada numa tarde em que ele tinha saído mais cedo do trabalho, lendo no ar fresco que antecede o outono, quando meu celular tocou. Eu não reconheci o número, mas mesmo assim atendi.

— Alô?

— Oi, é Olivia Marshall?

Olhei de relance para Colin e me levantei para entrar. A última coisa que eu queria era que ele me ouvisse receber uma cobrança do cheque especial ou algo assim, embora eu tivesse quase certeza de que ainda estava com alguma grana na conta.

— Sim, é ela.

— Oi, aqui quem fala é Elena Wrigley, editora da revista *Feminine Rage*.

Deslizei a porta e entrei. Eu queria parecer tranquila e casual, mas aquela era minha revista favorita. Era tipo a *People* combinada com a *Teen Vogue* e com a *McSweeney's*. Consegui me acalmar e respondi com um "oi" alegre.

— Recebi seu currículo para a vaga de redatora. Você pode falar agora?

Fui até um dos banquinhos e me sentei, me esforçando para não ficar animada.

— Claro.

— Vou abrir o jogo. O RH ia passar seu currículo para a área de edição de conteúdos, mas acabamos lendo a sua história sobre o incêndio. Eu morri de rir e acabei indo pesquisar mais sobre você.

— Merda. — *Droga, eu tinha acabado de falar "merda" para uma possível empregadora.* — Quer dizer...

— Não, não, é uma reação totalmente apropriada. — Ela estava rindo, então soltei a respiração. — Mas preciso perguntar, Olivia. Você já consegue rir dessas situações ou ainda são assuntos delicados?

— Com certeza já consigo rir. Mas posso perguntar por quê?

— Claro. Mas não quero ofender você, então, por favor, me interrompa se for o caso.

— Tudo bem. — Eu estava intrigada.

— A gente tinha uma coluna de conselhos chamada *Pergunte a Abbie*. Era superpopular porque Abbie tinha um humor meio ácido, mas ao mesmo tempo era engraçada e dava bons conselhos.

— Eu me lembro — respondi. — Eu adorava essa coluna.

Colin abriu a porta e entrou com meu livro.

— Você lia? Que ótimo. — Ela soou animada, o que pareceu um bom sinal. — Ela não trabalha mais com a gente, então estamos pensando no que fazer em relação a isso. A coluna tinha tudo a ver com a personalidade dela, então não queremos simplesmente colocar outra pessoa no lugar.

— Sim, faz sentido. — Estava tentando não ficar animada, porque não podia ser o que eu estava pensando, né?

— Mas quando li sobre o incêndio e a história do alojamento alagado, pensei: "Quão engraçado seria ter uma colunista de conselhos que, em teoria, é meio destrambelhada?"

Eu não me ofendi. A ideia *era mesmo* um pouco engraçada.

— Um passarinho me contou também que você era a colunista por trás da Mãe 402, que era uma coluna excelente, por sinal.

Eu queria agradecer, mas provavelmente não deveria, então respondi com um som neutro.

— Por sorte estudei com Glenda Budd, do *Times*, então pude ligar para ela e dar uma sondada.

Ai, meu Deus. Ela tinha falado com Glenda.

— E embora ela não pudesse confirmar sobre a Mãe 402, ela me contou que a colunista era muito divertida, sempre cumpriu prazos e entregava um trabalho excelente. Glenda disse que foi uma pena que ela tenha saído.

— Ela disse isso?

— Disse, sim. — Elena pigarreou. — Agora, mudando de assunto, o que acha de abraçar sua má sorte? De fazer dela sua força?

Colin fez um gesto para dizer que ia embora, mas eu sacudi a cabeça. Queria contar tudo depois que a ligação terminasse.

— Pode ficar mais uns cinco minutos? — sussurrei.

Ele pareceu surpreso.

— Posso, claro — respondeu.

Depois se sentou no sofá e pegou o controle remoto, parecendo confortável como se estivesse na própria casa.

Eu voltei para a ligação.

— Eu passei a vida toda rindo de mim mesma e do meu azar, Elena. Isso é muito a minha praia.

Então, de repente estávamos discutindo ideias, totalmente sintonizadas. Ao contrário da Mãe 402, aquela coluna captaria quem eu era de verdade e ainda teria meus próprios relatos. Conversamos por uma hora e ela me perguntou se eu poderia fazer uma entrevista formal no dia seguinte.

Quando finalmente desliguei o telefone, fui até o sofá e me joguei ao lado de Colin.

— Desculpe por ter demorado tanto.

Ele colocou a TV no mudo.

— Para de besteira. Me conta sobre essa vaga.

E eu contei. Estava falando com Colin, então devia ter disfarçado e agido como se não fosse grande coisa para que ele não pudesse tirar onda comigo depois, mas eu praticamente já tinha baixado a guarda com ele, então contei tudo, cada detalhezinho, e quando terminei ele disse:

— Só toma cuidado e não deixa eles te pagarem menos do que você merece.

Cruzei os braços.

— Bom, não é como se eu pudesse negociar muito.

— Eu sei, mas sua escrita fala por si só — argumentou ele, sério. — Não deixe que pensem que podem contratar você por uma pechincha. Você é boa demais para isso.

Eu me apoiei nele e disse:

— Meu Deus, você está tão a fim de mim que é até meio ridículo. Você me acha tão incrível que...

Não consegui terminar a frase porque ele me empurrou no sofá, ficou por cima de mim e calou minha boca do melhor jeito possível. Quando eu já estava ofegante, ele afastou a boca da minha e abriu um sorriso travesso.

— Como é que eu gosto de você se você é um pé no saco?

Sorri de volta.

— Parece que você gosta de sofrer.

19

Colin

Eu era patético.

Jack estava na casa de Vanessa, então além de estar preparando o jantar para Olivia eu também estava muito animado de ela passar a noite comigo. Eu tinha casualmente mencionado a ideia imaginando que ela recusaria, já que parecia muito satisfeita com nosso acordo rigoroso de não passarmos a noite juntos, mas, para minha surpresa, ela aceitou.

Por alguma razão, convidá-la para meu apartamento como... o que quer que ela fosse agora parecia ser um passo importante. Nós moramos juntos por um mês, mas nunca dividimos o espaço como algo além de amigos que não gostavam realmente um do outro.

Mas as coisas tinham mudado. Muito.

Meu celular vibrou, o que provavelmente significava que Olivia tinha chegado em casa. Ela recebeu a proposta de emprego logo depois da entrevista, o que não era uma surpresa, já que a ideia era brilhante e ela escrevia superbem. Ela então avisou por mensagem que ficaria por lá mais um pouco para conhecer a equipe e o prédio.

Olivia: Acabei de chegar e estou morrendo de fome. Que horas vamos comer?
Eu: NÃO COMA NADA.
Olivia: Bom, se a gente não for jantar daqui a uma hora, mais ou menos, vou beliscar alguma coisa, senão vou desmaiar.

Eu: Nada de beliscar. O jantar fica pronto em dez minutos.
Olivia: Graças a Deus. Já estou indo.

Enquanto corria naquela manhã, depois de ter sido assediado por Liv da varanda ao me alongar na calçada, cheguei à conclusão de que as coisas estavam meio sérias. Bom, mais ou menos, já que ela ainda não me chamava de namorado e ainda não tinha me convidado para passar a noite no apartamento dela, mas estavam sérias para mim, e eu desconfiava que para ela também. Ela era meu primeiro pensamento ao acordar e o último antes de eu ir dormir. Eu abriria mão de qualquer coisa para estar com ela, porque o mundo era muito mais alegre com Olivia por perto.

Ela era engraçada, atrapalhada, bagunceira, inteligente e o ser humano mais sexy que eu já tinha visto na vida.

O mais engraçado era que nenhum de nós tinha mudado. Liv era exatamente a mesma de sempre, mas eu nunca tinha parado para observá-la de verdade e ver toda a beleza ao redor da bagunça. E eu desconfiava que ela também pensava assim, porque Deus sabe que eu ainda era o mesmo babaca de sempre.

— Toc, toc. — Ela entrou e imediatamente tirou os saltos pretos brilhantes que deixavam as pernas dela engraçadas. — O que vamos comer?

— Caçarola de pepperoni. Conte sobre o emprego.

— Hum. — Ela abriu a geladeira e pegou uma cerveja Vanilla Bean Blonde, depois se sentou no balcão, onde eu estava cortando pão de alho. Eu a olhei e ela sorriu, tomando um gole da cerveja. — Estou morrendo de medo porque está bom demais para ser verdade.

— Paga bem? — Eu não queria minimizar a importância de gostar do próprio emprego, mas ela estava tão apaixonada pela proposta que corria o risco de trabalhar de graça.

— Não para os padrões de Colin Beck, mas até que sim. Vou ganhar mais do que estava ganhando no *Times* e os benefícios são melhores.

— Muito bom. — Deixei a faca na pia e limpei a mão em um pano de prato. — Quando você começa?

— Amanhã.

— Amanhã? — Aproximei meu rosto e dei um beijo naquele sorriso alegre dela. — Que rápido.

— Eles me perguntaram quando eu podia começar e eu respondi meio brincando que poderia começar amanhã, aí eles ficaram, tipo, "uhul", e eu fiquei "uhul" e foi isso.

Eu ri — a alegria dela era contagiante — e fui até o forno para tirar a caçarola.

— Se quiser dormir no seu apartamento hoje, vou entender.

— Fala sério, Beck. Tarde demais para pular fora. Você não vai escapar de me deixar dormir na sua cama.

Tirei a caçarola borbulhante do forno e a coloquei sobre o fogão.

— Então seu interesse é na minha cama, não em mim?

— Sim. Você é só o bônus orgástico. Estou com saudade daquela nuvem *king size*. — Ela tomou outro gole da cerveja. — Além do mais, você acorda, tipo, às cinco e meia da manhã, então eu vou ter tempo para escapulir e me arrumar em casa.

— "Escapulir"? Isso não é o que ratos fazem?

— Sim. Entre outros roedores. — Ela pulou do balcão e colocou as mãos nos quadris. — Você quer que eu... hum... pegue os pratos ou regue com conhaque ou sei lá?

— Conhaque ou sei lá?

Ela revirou os olhos e abriu a porta do armário onde os pratos estavam.

— Não sei o que gente como você faz quando recebe pessoas para jantar. Usa vários garfos e taças de brandy e guardanapos de linho? Bota fogo nos aperitivos?

Eu nunca sabia se ela realmente me achava um almofadinha arrogante ou se estava só brincando.

— Sabe de uma coisa, Marshall? Ter um bom emprego não me transforma automaticamente em um imbecil.

Ela se virou para mim e arqueou a sobrancelha.

— Então como você explica o saca-rolhas cheio de firulas?

Revirei os olhos e murmurei:

— *Touché.*

Olivia colocou os pratos na mesa, e isso me lembrou da noite em que ela fez macarrão com almôndegas para mim e Jack. Ela estava nervosa, tagarelando sem parar conforme servia a comida, depois ficou me encarando com olhos enormes enquanto eu dava minha primeira mordida. Eu fiquei completamente encantado.

Até descobrir que ela era a srta. Sem Querer.

Nossa, parecia ter sido há uma eternidade.

Mergulhamos na comida e na conversa depois disso. Liv contou que havia quebrado o salto em um buraco na calçada a caminho da entrevista e foi buscar o sapato na entrada para me mostrar que tinha consertado com seis pedaços de chiclete. Depois ela me perguntou sobre meu dia e me fez descrever meu escritório nos mínimos detalhes para que pudesse me imaginar nele quando conversássemos por mensagem.

Eu estava com medo porque, assim como Olivia tinha dito, tudo estava bom demais para ser verdade.

Olivia

— Marshall. — A voz de Colin estava sonolenta. — Vamos dormir.

— Hum? — Estava aconchegada em seu peito e, ao abrir os olhos, encontrei Colin me olhando com um sorriso. — Acho que peguei no sono.

— Será? — brincou.

Eu me sentei e me espreguicei.

— Que horas são?

Ele deu uma olhada no relógio de pulso.

— Dez e cinco.

— Nossa, que tarde.

— Você vai ter um dia importante amanhã. — Colin desligou a TV. — Precisa dormir bem.

— Posso pegar uma roupa emprestada para dormir? Não queria voltar para o meu apartamento — perguntei, me levantando.

— Claro — respondeu Colin, antes de pegar minha mão e me conduzir até o quarto.

Era estranho entrar no quarto de Colin *com ele*. Estive lá sozinha muitas vezes, mas seguir seu corpo alto para seus aposentos era uma experiência inédita para mim.

Ele apertou o interruptor na parede e os abajures de cabeceira se acenderam, preenchendo o cômodo com uma luz quente. Cara, eu adorava aquele quarto. Era elegante e moderno, mas ainda trazia uma sensação de aconchego que dava vontade de se enrolar no edredom pesado e ver filmes o dia todo.

— Você quer um pijama de verdade — perguntou Colin, abrindo uma gaveta — ou prefere uma camiseta?

— Fala sério. Olha essas gavetas. — Fui até Colin e espiei a gaveta organizada por cima de seu ombro. — Essa atenção aos detalhes é obscena.

— Vou mostrar o que é obsceno — murmurou ele, me passando uma camiseta. — Isso serve?

Fiz que sim e a peguei, me sentindo estranhamente nervosa.

Mas antes que eu pudesse analisar o sentimento, o celular dele tocou. Ele o tirou do bolso, olhou para a tela e disse, como se estivesse pedindo permissão para atender:

— É minha irmã.

— Vai lá.

Ele levou o celular à orelha.

— Oi, Jill. E aí?

Por alguma razão, eu adorava a amizade de Colin com a irmã.

— Ah, claro. Vou pegar o número dele para você — disse Colin, saindo para a cozinha.

Aproveitei o tempo para trocar de camisa e roubar um par de meias grossas da gaveta de cima. Eu não sabia se ele tinha um lado preferido da cama, mas entrei debaixo dos cobertores e fiquei do lado esquerdo.

— É só ligar e dizer que o pneu está vibrando. Ele vai resolver.

Colin voltou para o quarto e a expressão em seu rosto mudou completamente quando me viu na cama.

— Não posso falar agora, Jill. Preciso desligar.

Ele encerrou a chamada e largou o celular no banco aos pés da cama.

— Você vai me achar uma pessoa horrível se eu disser que fantasiei essa exata cena quando você ainda morava aqui?

Isso me deixou curiosamente feliz.

— Mentira.

— Estou falando sério. — Ele tirou o suéter e o arremessou no cesto de roupas sujas, depois desabotoou o cinto, sorrindo para mim enquanto suas calças iam ao chão. — Quando você me disse que cochilava aqui, não consegui parar de pensar em você deitada na minha cama. Eu me imaginava chegando e pegando você dormindo...

— E...? — Eu me deitei de lado e apoiei a cabeça na mão.

— E eu acordava você, mas aí você me contava que estava tendo um sonho *muito* impróprio...

Eu estava maravilhada em saber que ele fantasiava sobre mim.

— Aham, tá, seu safado. E aposto que na sua imaginação você fazia parte desse meu sonho, não era? E aí eu puxava você para a cama...?

Ele sorriu.

— Tipo isso.

— Por que você não me disse isso naquela noite em que eu praticamente *implorei* pra você dizer alguma coisa?

— Mas sua pergunta foi sobre antes de você voltar para cá.

Em vez de subir em cima de mim como eu esperava — e desejava —, Colin jogou a calça na cadeira, entrou debaixo do cobertor e apagou o abajur.

Foi muito... casual. Como se ele fizesse isso todo dia. Parecia que éramos um casal indo para a cama como todas as noites. Ele se virou para mim e disse:

— Marshall, você vai apagar essa luz ou não?

— É pra já.

Eu apaguei o abajur e o quarto mergulhou em escuridão.

— Muito melhor — sussurrou ele, se aproximando.

Ele puxou o cobertor sobre nosso corpo, e foi como se nós dois entrássemos num casulo. O ar me faltou de repente, porque num instante eu estava tranquila, e no outro Colin segurava meu rosto e distribuía os beijos mais delicados do mundo pelas minhas bochechas.

Era leve, reverente, suave. Olhei para ele; ainda conseguia enxergar seus olhos em meio à escuridão. Senti meu peito queimando, mas não era o calor do desejo sexual — que nós já conhecíamos —, mas um calor genuíno, como se ele se importasse comigo de verdade.

Respirei fundo e esperei que o pânico chegasse, mas acho que meu corpo — meu cérebro, meu coração, o sistema nervoso, meus pulmões, tudo — sabia que Colin era um lugar seguro. Assim, o muro de proteção que eu tinha erguido com cuidado ao meu redor começava a se desfazer. Relaxei na cama macia e cada músculo do meu corpo pareceu se derreter sobre os lençóis de linho enquanto Colin me causava arrepios.

Seus lábios pousaram sobre os meus e eu deslizei meus dedos por seus ombros musculosos. Diferente dos beijos extremamente intensos que já conhecíamos bem, aqueles que me faziam gemer contra sua boca, Colin me beijava com demora, atenção e calor. Eram beijos longos, intensos, que me faziam encolher os dedos dos pés e me deixavam zonza. Então ele passou a me dar mordidinhas e lambidas, desceu até meu pescoço e depois foi descendo ainda mais.

Eu me perdi em suspiros trêmulos enquanto ele venerava cada pedaço do meu corpo com a boca e as mãos. A escuridão intensificou meus outros sentidos, me fazendo *sentir* muito mais. Sua boca na minha pele, sua respiração no meu corpo, o calor de seus dedos fortes que me faziam ofegar por ele. Colin avançou devagar com sua mágica, de novo e de novo, cada vez mais intenso, até que eu senti que estava prestes a morrer.

— Colin. — Eu não era de implorar, mas estava disposta a fazer isso se fosse preciso. — Vem *cá*.

— Que impaciente — murmurou ele, voltando a subir pelo meu corpo.

Eu me senti zonza ao olhá-lo em cima de mim quando ele voltou. Mesmo na escuridão, consegui distinguir seu sorriso e seus olhos pesados de desejo, e isso me tirou o fôlego.

Porque o maravilhoso Colin Beck, perfeito em todos os sentidos, parecia me desejar mais do que qualquer outra coisa na vida. O cabelo dele estava entre meus dedos, ele respirava ofegante, seu olhar era intenso — e naquele momento eu soube que era só dele.

Ele entrelaçou nossas mãos e as segurou contra o travesseiro, uma de cada lado da minha cabeça, depois abaixou e me beijou. Foi um beijo longo e profundo que evocava sentimentos muito mais potentes do que a paixão.

— Colin.

Arfei seu nome e quis dizer isso a ele. Mas ele deslizou para dentro de mim, apertando nossas mãos juntas enquanto se movia e destruía minha capacidade de formar frases coerentes. Meus dedos se apertaram aos seus, e ele continuou, extinguindo por completo todas as minhas dúvidas de que estava completamente apaixonada por ele.

• • •

Cinco horas da manhã.

Aquele era um horário completamente absurdo para estar acordada. Nem mesmo Colin estava se mexendo, e ele saía para correr todos os dias às cinco e meia, feito um psicopata, então era ridículo que eu já estivesse de pé. Mas me sentia tão animada para meu primeiro dia na revista que não consegui dormir nem por mais um segundo.

E eu queria alguns minutos sozinha.

Desde o jantar no Fleming's, toda vez que eu pegava o celular para mandar uma mensagem para o Cara do Número Desconhecido, me dava conta de que não sabia bem o que dizer e deixava pra lá. Nós não estávamos saindo nem nada do tipo, então parecia muita pretensão minha enviar uma mensagem meio que terminando com ele, ainda mais considerando o fato de que ele já tinha feito isso, me ignorando inúmeras vezes.

Mas aquilo era necessário

Eu precisava dizer a verdade, porque estava perdidamente apaixonada por Colin. Tinha tentado me preservar para que isso não acontecesse, mas não adiantou. Fiquei acordada por horas na noite anterior, tentando racionalizar minhas emoções, até finalmente perceber que não havia mais saída.

Meu coração era dele.

E, meu Deus, parecia que ele sentia o mesmo. Eu não diria que ele estava louco por mim, mas era nítido que havia algo entre nós, porque ele continuava me procurando e me deixando mais e mais feliz a cada dia.

E aquela noite tinha sido... simplesmente mágica.

Eu me sentei num banquinho e mandei uma mensagem para o Cara do Número Desconhecido.

Eu: Sei que está cedo, mas já que vc nunca me responde, deduzi que não faz diferença.

Enviada.

Eu: Foi ótimo conhecer vc, e vc não faz ideia de como nossas mensagens foram importantes para mim no começo.

Enviada.
Espera, foi estranho dizer isso? "No começo"? Mas acho que era tarde demais para me preocupar, porque já estava enviada.

Eu: Mas estou saindo com outra pessoa agora e parece errado continuar trocando mensagens com vc, como se eu tivesse um relacionamento secreto ou sei lá.

Enviada.
A tela do celular de Colin se acendeu e chamou minha atenção na cozinha escura. Provavelmente era um lembrete para continuar sendo perfeito ou uma notificação para ingerir mais proteína. Ele usava o celular para organizar a vida, enquanto o meu era apenas um aparelhinho para enviar mensagens.

Eu: Boa sorte com tudo, e obrigada por ter sido meu amigo quando eu não tinha nenhum.

Enviada.
O celular de Colin se acendeu de novo.

Eu: Obrigada por tudo.

Enviada.
Outra notificação no celular de Colin.
Eu me levantei e fui até a tomada em que ele estava conectado. Com certeza era só uma coincidência, mesmo assim, mandei outra mensagem: Hum...
Enviar.

Um zunido tomou conta dos meus ouvidos, senti um nó na garganta e tudo ao meu redor ficou desfocado por um instante quando uma notificação apareceu no celular dele.

Srta. Sem Querer: Hum...

Colin

Abri os olhos e estiquei o braço para tocá-la, mas ela não estava lá.
Meu Deus, Olivia Marshall tinha acordado antes de mim? Que horas eram?
Eu me sentei e a ouvi perambulando na cozinha. Parecia que ela andava de um lado para outro, provavelmente mordendo o lábio enquanto pensava em tudo o que poderia dar errado em seu primeiro dia no trabalho. Pulei da cama e peguei uma bermuda e uma camiseta na cômoda; ela precisava de uma distração ou de uma conversa motivacional. Ou os dois.
Talvez eu precisasse pular a corrida naquela manhã.
Entrei na cozinha vestindo minha camiseta, e então a vi. Olivia estava encostada na geladeira; seu rosto estava vermelho e seus olhos molhados.
— O que aconteceu, Livvie?
Dei um passo em sua direção. Pelo amor de Deus, alguma coisa já tinha dado errado com o trabalho? Mas ela estendeu o braço para que eu parasse.
E ela segurava meu celular.
— Por que você recebe as mensagens da srta. Sem Querer? — Sua voz falhou e ela piscava depressa. — Fico tentando entender, mas nada faz sentido. Por que você está recebendo minhas mensagens?
Foi como se eu tivesse levado um soco no estômago. Ela estava me pedindo uma explicação que eu não tinha.
— Por que você está com meu...

— *Não se atreva* a me perguntar por que estou com seu celular, Colin. Tenha um pingo de decência.

Ela estava certa, mas eu não tinha ideia do que dizer.

— Sei que vai parecer loucura, Liv, mas na verdade eu sou o Cara do Número Desconhecido.

Ela ficou me encarando, imóvel, como se estivesse tentando ligar os pontos.

— Acho que você está se esquecendo de que eu *conheci* ele. Então a menos que seu nome seja Nick e que você saiba dançar *break*, você não é ele. Tente de novo.

Merda. Como eu ia fazer Olivia entender?

— Eu juro que estou dizendo a verdade. Nick foi encontrar você porque eu pedi. Podemos sentar e conversar sobre...

— Não! — Ela largou meu celular no balcão e cruzou os braços. — Quero que me explique o que está acontecendo.

— Droga. — Cocei a nuca. — O número desconhecido sou eu. Foi uma coincidência muito bizarra; quando descobri, fiquei tão chocado quanto você está agora. Tentei sumir e encerrar as coisas, mas...

— Meu Deus... — Olivia me encarava. — Quando você descobriu que era eu?

Até parece que eu ia contar.

— Não sei, Liv, já faz um tempo...

— Fala. — A voz de Olivia era grave e baixa, como se estivesse contendo uma enxurrada de emoções. Ela continuou entre dentes cerrados: — Porque nós dois sabemos que você se lembra do exato segundo em que descobriu.

— Liv...

— Quando foi, Colin?

— Naquela noite em que você fez macarronada para nós, tá bom? — Tentei me aproximar para fazê-la entender. — Eu estava...

— Espera. Isso foi *há meses*. — Ela recuou para longe. — Você sabia desde aquele dia? Porra. Você não me deu *ghosting*, seu mentiroso. Você me mandava mensagem o tempo todo.

— Não, eu...

— Você me mandou mensagem quando eu estava num encontro, me mandou mensagem quando *você* estava num encontro, você me mandou... — Ela se interrompeu. — Meu Deus! Você lia todas as minhas mensagens falando comigo mesma?

Abri a boca, mas ela continuou falando e arregalava os olhos conforme entendia a cronologia dos fatos.

— E é por isso que nosso sexo foi tão bom desde o primeiro dia? Porque eu falei sobre isso com o Número Desconhecido, por isso você só fez o que já sabia que eu gostava?

— Não, Liv...

— Nossa primeira vez foi no balcão da cozinha! — Ela estava explodindo de raiva, mas isso não fazia desaparecer a mágoa em seu rosto.

Aquilo estava me matando. Eu só queria que ela entendesse.

— Isso foi só uma coincid...

— Ai, meu Deus... — Ela sorriu e deixou escapar uma risada, embora seus olhos estivessem marejados. — Aposto que você se sentiu o fodão quando leu que foi o melhor sexo da minha vida. Meu Deus. Aposto que foi engraçadíssimo pra você.

— Não foi. Caramba. Não foi assim.

Ela inclinou a cabeça e estreitou os olhos.

— E quanto ao Nick? Você contou pra ele que já estava me comendo, então não queria estragar tudo contando a verdade e precisava de uma ajudinha?

Quando ela começou a chorar, eu percebi que as coisas nunca mais voltariam a ser o que eram antes.

— Não, Liv. Sério...

— Não. — Ela foi até a porta e pegou a bolsa e os sapatos. — Não me chame assim, como se fôssemos próximos. Não sou mais "Liv" para você.

Fui até a porta e a segurei.

— Você precisa me deixar explicar.

— Sem explicações, lembra? — Ela balançou a cabeça e tirou minha mão da maçaneta. — A gente disse que quando ficasse entediado poderia simplesmente ir embora. Bom, estou entediada.

Senti um aperto no peito ao ouvir a certeza em sua voz. Eu me abaixei um pouco para que nosso rosto ficasse na mesma altura. Precisava que ela olhasse para mim.

— Isso não é verdade.

— É mesmo? Tudo o que eu sei é que eu me envolvi com um cara aleatório, que me enganou fingindo ser outra pessoa só para transar comigo. Sai da minha frente. Preciso me arrumar para o trabalho.

— Por favor. Por favor. — Eu não queria implorar, mas estava desesperado. — Eu só quero explicar.

— Colin, eu não quero saber. Tchau.

Ela bateu a porta. E eu senti que Olivia tinha levado todo o oxigênio do apartamento com ela.

Olivia

— Às vezes eles trazem almoço de algum restaurante às sextas-feiras. Na semana passada, disseram que seria um lugar com um frango ótimo.

— Que demais — respondi.

Eu sorri para Bethanne, a garota que também estava na integração comigo, enquanto tentava não deixar minhas emoções aflorarem no horário de almoço. Depois de chorar tudo o que tinha para chorar no banho, decidi engolir as lágrimas. Aquele imbecil não ia estragar meu primeiro dia, então me obriguei a esquecê-lo e a me concentrar no novo emprego.

Mas o fato de ele ter me mandado um milhão de mensagens de manhã não ajudou. Precisei desligar o celular. Fiquei confusa no começo, porque a mensagem vinha do contato Número Desconhecido, mas logo me lembrei de que aquele também era o número de Colin.

Idiota.

— Sim, sério, eu poderia comer isso em todas as refeições — disse ela, jogando o cabelo loiro para trás. — Você tem filhos? Marido? Namorado?

Antes que eu pudesse pensar em uma resposta, ela continuou:

— Hoje faz uma semana que fiquei noiva — anunciou ela, mostrando um anel enorme de diamante. — Olha isso!

— Uau — respondi, forçando um sorriso. — Você vai se casar com o Jeff Bezos?

Ela riu.

— Ele mandou bem, né? Mas nem ligo para o anel, na verdade. Só quero passar todos os dias da minha vida com ele.

— Ahhh, que fofo — respondi. Tentei engolir o nó na minha garganta, mas ela parecia obstruída por um pedregulho.

— É tão clichê dizer que vou me casar com meu melhor amigo, mas eu simplesmente adoro ele.

— Que legal.

— Tipo, se eu pudesse, ficaria com ele vinte e quatro horas por dia, o tempo todo.

— Chega, tá bom?

— O quê?

Merda. Não queria ter dito aquilo em voz alta. As palavras saíram da minha boca involuntariamente. Eu exibi o que torci pra ser um sorriso e disse:

— Brincadeira.

— Ah.

Acenei e pensei estar sorrindo.

— Meu Deus, o que aconteceu? — perguntou ela.

Balancei a cabeça. Queria dizer que não tinha acontecido nada, mas quando abri a boca comecei a chorar. Eu parecia uma vaca mugindo.

— Querida, o que aconteceu?

Eu não estava enxergando nada. Que merda, minhas lágrimas tinham feito o mundo inteiro — e a sala de descanso da *Feminine Rage* — ficar embaçado.

— Pode me dar licença?

Eu me levantei e tentei escapar para o banheiro, mas tropecei em uma cadeira na mesa ao lado e caí de joelhos, levando a cadeira ao chão junto comigo com um estrondo.

— Merda.

Fiquei de pé o mais rápido possível antes que eu caísse morta de vergonha.

Mas levantei rápido demais e não vi um homem com uma bandeja à minha direita por causa da minha visão embaçada, então dei uma cabeçada estrondosa nele, o que fez a bandeja voar pelos ares despejando uma chuva de macarronada nele e em mim.

Desisti de tentar salvar minha dignidade e literalmente corri em direção ao banheiro. Meus olhos estavam encharcados de lágrimas e eu não fazia ideia se estava entrando no banheiro feminino ou masculino.

Não que eu me importasse naquele momento.

Depois que me tranquei no banheiro, olhei meu reflexo no espelho e quis dar um soco na cara de Colin Beck com toda a minha força. Era meu primeiro dia de trabalho, tinha macarrão no meu cabelo e meu rosto estava completamente manchado de rímel e delineador que escorreram com as lágrimas.

E mesmo depois de um trabalho minucioso com meio rolo de papel higiênico, eu parecia ter acabado de sofrer um acidente, principalmente porque havia um galo vermelho enorme na minha testa depois da pancada na bandeja daquele cara. Eu queria muito ficar enrolando no banheiro até o intervalo acabar, mas aí me dei conta de que não estava na escola e que precisava sair daquele lugar se quisesse manter meu emprego dos sonhos.

Meu Deus, eu realmente odiava Colin.

• • •

Quando cheguei em casa depois do trabalho, eu já não tinha mais lágrimas para chorar. O dia tinha passado como em um transe e eu só queria desabar. Mas, ao entrar no meu quarto, a imagem daquela cama me deu vontade de vomitar.

Uma pessoa razoável provavelmente ficaria feliz por pelo menos ter conseguido uma cama incrível naquela situação toda.

Mas eu não era uma pessoa razoável.

Arranquei o colchão da cama e o levei até as escadas com muito suor e esforço. Cheguei ao elevador quase desmaiando. Felizmente, um cara legal estava por perto e me perguntou se eu precisava de ajuda, então arrastamos o colchão até a porta de Colin. Ele queria apoiar o colchão na parede de frente para a porta, mas balancei a cabeça e disse que queria colocar *contra a porta* na verdade, bloqueando a passagem.

— Desculpa, acho que não entendi.

— É isso mesmo.

Ele mudou o colchão de lugar e eu agradeci.

— Muito obrigada pela ajuda.

Ele me olhava como se eu fosse completamente maluca.

— De nada.

Fiz a mesma coisa com o box da cama, mas sem um ajudante dessa vez. Quando terminei, estava pingando suor. Esperava que Jack não precisasse lidar com isso ao voltar para casa, mas a cama que aquele idiota tinha me dado já não era mais problema meu.

Já era meia-noite quando me lembrei que tinha desligado o celular. Assim que o liguei de volta, recebi uma enxurrada de mensagens de Colin e meu corpo pareceu ter encontrado um reservatório extra de lágrimas. Sem ler nenhuma das mensagens, digitei: Pelo amor de Deus, se um dia você já se importou comigo, por favor, para de me mandar mensagens. Não dá mais para mim.

Ele respondeu imediatamente: Eu só quero descer para conversar com você.

Fechei os olhos e senti as lágrimas vindo.

Eu: Acho que vou ter que bloquear você, então. Tchau.

Eu chorei ao bloquear o número porque aquilo parecia extremamente definitivo. Impedir o Número Desconhecido original de entrar em contato comigo era um encerramento, o fim do ciclo.

Passei as horas seguintes lendo nossas conversas desde o começo. Afinal, quem precisava dormir? E havia taaaaantas coisas constrangedoras que eu tinha contado para o Número Desconhecido, coisas que eu jamais contaria para Colin.

Estava com muito ódio, mas, muito mais que isso, me sentia arrasada por perdê-lo. Isso provavelmente significava que eu era fraca, mas todas as nossas piadas internas e trocadilhos tinham se transformado em algo importante para mim, e agora eu não tinha mais nada.

Eu me lembrei daquela cena em *Mens@gem Para Você*.

Todo esse "nada" significou mais para mim do que muitas "algumas coisas".

20

Colin

— Por que você está com essa cara de merda, Col?

— Olha a boca, Jillian. — Minha mãe olhou de cara feia para minha irmã e depois sorriu para mim, torcendo as pérolas no pescoço com os dedos cheios de anéis. — Sente-se, querido.

Eu me joguei na cadeira de frente para meu pai e peguei o cardápio de bebidas. Tinha bebido um pouco no lounge, então já estava meio anestesiado, mas pela expressão severa no rosto dele fiquei com a impressão de que definitivamente precisaria de mais álcool. Perguntei:

— Tem aperitivos aqui? Tipo bolinha de queijo?

Minha irmã deu risada e meu pai respondeu:

— Aqui não é o Applebee's, Colin.

— Queria que fosse. Estou com vontade de cantar no karaokê.

Jillian arregalou os olhos, tentando entender se eu estava bêbado. Até que eu queria, mas infelizmente minha sobriedade me permitiu perceber o quanto minha mãe estava distraída e a expressão de desgosto do meu pai. Decidi pegar leve.

— Brincadeira, pessoal.

Meu pai acenou para que o garçom trouxesse um uísque para ele e me perguntou:

— Como vão os negócios?

— Tudo bem — respondi, assentindo devagar. — Está sendo um ano fantástico.

— Excelente. Que pena que a empresa não é sua; o bom ano não é *seu*.

— Verdade, pai.

— Recebeu alguma promoção?

— Desde a última vez que você me perguntou há um mês? Deixe-me pensar. — Inclinei a cabeça. — Não.

— Ha, ha. Que engraçadinho. — Meu pai cruzou os braços. — Parece que você está estagnado nesse cargo.

— Eu não estou estagnado. Adoro meu trabalho.

— É o que uma pessoa estagnada diria. — Ele me encarou por um longo minuto, semicerrou os olhos e continuou: — Você não chega ao topo "adorando o trabalho", Col. Você chega ao topo...

— Vamos mudar de assunto? — sugeriu minha irmã, revirando os olhos. — Por mais emocionante que seja falar do terrível emprego de Colin como analista financeiro de sucesso, eu queria saber mais da garota com quem ele anda saindo.

Senti meu sangue congelando.

— Agora não, Jill.

— É verdade, meu bem, queremos saber mais sobre ela — concordou minha mãe, sorrindo. — Seu avô disse que ela é uma graça.

— Não.

Meu pai se intrometeu.

— Não pode fazer a vontade da sua mãe uma vez na vida?

— Que inferno.

— Não fale assim, Colin — sussurrou minha mãe.

Respirei fundo.

— Não estamos mais juntos, então não importa.

Jill sussurrou um "me desculpe" e eu só dei de ombros. Meu pai, no entanto, decidiu usar a oportunidade para me menosprezar.

— O que aconteceu? Sua avó achou que era sério.

Eu encarava a toalha de mesa.

— Pelo visto não.

— Quem terminou?

— Pai, acho que não é da nossa conta — disse Jillian, tentando intervir.

Mas não adiantou; meu pai a atropelou.

— Por que não? Estamos em família. — Ele se voltou para mim. — Por que vocês terminaram?

Dava para perceber que meu pai estava inspirado; eu ia precisar de outra bebida. Pensei em dar uma explicação madura e desinteressante, mas aí decidi chutar o balde. *De fato*, estávamos em família, então por que não ser brutalmente honesto?

— Bom, a gente estava tendo uma amizade colorida e estava ótimo. Ela é inteligente e engraçada e maravilhosa na cama, então tudo estava indo bem.

— Colin, para já com isso — repreendeu meu pai, dando uma olhada para a mesa ao lado para ver se Edward Russell estava escutando nossa conversa.

— Não, você disse que estamos em família e está certo. É com vocês que eu deveria estar falando sobre isso. — Pigarreei e baixei minha voz: — Onde eu estava? Ah, sim. A gente só saía da cama para beber água, e estava sendo...

— Já chega. — Meu pai se inclinou sobre a mesa e apontou o dedo para mim. — Para com isso, ou esse jantar acabou.

— Ah, que peninha. O jantar. — Olhei para Jillian e sorri, mas ela parecia desconfortável. — Eu não tô nem aí para o jantar, só quero comer aperitivos, tomar coquetéis e cantar no karaokê.

Jill não conseguiu se segurar e murmurou:

— Ainda não estamos no Applebee's, Col.

— Por que está fazendo isso? — Meu pai parecia bravo, mas também confuso. — Se não queria estar aqui, por que aceitou o convite?

— Estava tudo bem até você não deixar o assunto da Olivia morrer.

— Querido, você está bem? — Minha mãe parecia genuinamente preocupada, e algo em seu tom gentil fez com que eu me sentisse como uma criança. Odiei a sensação. — Sinto muito por não ter dado certo...

— Sim, estou bem.

— Você não parece bem — disse meu pai.

Olhei para ele e senti vontade de jogar tudo para o alto. Tipo virar a mesa, quebrar os pratos, arremessar os copos pelo salão. Eu não queria falar sobre Olivia com ninguém, principalmente com eles.

— Mas eu estou.

— Vamos lá para fora — ordenou meu pai, ficando de pé.

Meu pai era um idiota arrogante e esnobe, mas nunca foi violento. Ele me amava e sempre tinha sido um bom pai, apesar de tudo. Por isso fiquei sem palavras enquanto ele me encarava de cima.

— Sente-se, meu bem — pediu minha mãe, mas meu pai nem sequer pestanejou.

— Venha, Col. Vou esperar você lá fora.

Então meu pai saiu da sala de jantar sob o olhar incrédulo de todos nós.

— Hum. — Jillian se inclinou sobre a mesa. — Será que o papai vai te dar uma surra?

— Meu Deus, óbvio que não. — As bochechas de minha mãe estavam vermelhas e ela olhava em volta para se certificar de que nenhuma de suas amigas da Liga Feminina tinha notado a nossa discussão. — Ele provavelmente quer conversar com você em particular.

Olhei para Jillian.

— O que eu faço?

Ela deu de ombros.

— Vá, querido — minha mãe falava em tom baixo e urgente. — Vá, antes que isso vire uma confusão.

Revirei os olhos e fiquei de pé.

— Deus me livre criar confusão.

— Não se preocupe, estou logo atrás de você — disse Jillian, erguendo os punhos.

— Ah, façam-me o favor — murmurou minha mãe.

— Acho que eu dou conta, mas obrigado.

Saí do salão de jantar e dei a volta pela entrada principal do clube sem saber o que estava acontecendo. Ainda me sentia levemente alegre, então a situação toda era meio cômica, mas parte de mim queria voar no pescoço de todos que se atrevessem a mencionar o nome de Olivia.

— Estou aqui. — Meu pai estava encostado em sua Mercedes, olhando para o celular como se estivesse parado ali por acaso.

— O que foi, pai? — De repente eu fiquei de saco cheio, precisava sair de lá e ir para casa, para o apartamento que tinha se tornado uma lembrança fria de Olivia, antes que eu perdesse a cabeça. — Não vamos agir de cabeça quente e partir pra cima um do outro no estacionamento do clube. Eu já vou embora.

Ele fez uma careta e guardou o celular no bolso.

— Quero conversar sem que sua mãe se intrometa para bajular você.

— Parece interessantíssimo.

Ele cerrou a mandíbula.

— Pode parar com o sarcasmo por cinco minutos?

Eu não estava a fim de ouvir um sermão.

— Posso prometer no máximo três — respondi.

— Está vendo? É disso que estou falando.

— Tecnicamente você ainda não falou nada, então...

— Chega, Colin. Cala essa boca.

Agora ele parecia prestes a explodir e eu meio que queria que isso acontecesse. Meu pai me olhava com uma expressão decepcionada, o que me deixava inquieto e ávido por um conflito.

Mas, apesar de tudo, ele era meu pai.

Respirei fundo, contei até cinco e disse:

— Tudo bem. Continue.

Ele ficou quieto me encarando, como se esperasse para ver se eu estava falando sério ou não.

— Foi tão difícil assim?

— Um pouco...? — respondi, coçando a nuca.

Aquilo o fez sorrir e voltamos a nosso estado disfuncional de sempre. Meu pai se apoiou no carro.

— Você não parece bem, Col.

Assenti.

— Eu sei.

— Sua mãe tem certeza de que essa tal de Olivia magoou você. Não sei se isso é verdade ou não, mas acho que esse é um bom momento para você parar um pouco e rever sua vida.

Não gostei de como aquilo soava, mas apenas respondi:

— Acha mesmo?

— Sim, acho. — Ele passou a mão na barba imaculadamente aparada e continuou. — Quando as coisas não funcionam conforme o planejado, podemos ficar emburrados e fazer birra que nem uma criança, ou podemos tirar um tempo para repensar nossas escolhas. Pensar no que fizemos no passado e tentar descobrir como seguir em frente de uma forma melhor.

Eu não quis admitir que aquilo fazia sentido, não quis dar esse gostinho a ele, então não disse nada. Foi extremamente imaturo da minha parte, mas me limitei a olhar para ele sem qualquer expressão. Eu ia deixá-lo falar por ser meu pai e era minha obrigação respeitá-lo, mas isso não significava que ele sairia ganhando.

— Você está vivendo a vida como se ainda estivesse na faculdade, Colin — continuou ele. — Você divide o apartamento. Está trabalhando no departamento financeiro de outra pessoa. Está sendo chutado pela irmã mais nova do seu amigo. Isso soa como o comportamento de um adulto para você?

— Sim.

— Mas não é. — Ele tocou o queixo como sempre fazia quando estava chegando ao ápice de sua persuasão. — Chega de dividir apartamento, Col, você não é mais adolescente. Saia do trabalho fácil, assuma seu lugar na Beck. Acredite em mim, vai ser bom deixar de lado essa rebeldia juvenil e finalmente ter uma vida estável.

— Olha, pai...

— E, pelo amor de Deus, acho que é hora de parar com essas relações casuais. Encontre uma garota boa que queira as mesmas coisas que você e leve isso a sério.

Eu estava começando a ficar irritado de novo.

— Eu não queria mais uma relação casual. Por isso estava com Olivia.

— Não. A relação com ela era conveniente — disse ele, como se eu fosse uma criança que não fizesse a mínima ideia do que estava falando. — Ela estava morando com você, pelo amor de Deus. Era fácil demais, como tudo na vida é para você. Se esforce para *ir além,* Colin. Para ser melhor.

— Não, as coisas com ela não eram convenientes.

Eu estava prestes a explodir, mas tive que me controlar quando Brinker Hartmann, um dos amigos de meu pai, se aproximou com um enorme sorriso no rosto rosado.

— Olha só, aí está o jovem sr. Beck. Já faz um tempo desde que fomos agraciados com a sua presença. Como estão as coisas, Colin?

— Estão ótimas. Eu estava indo embora, na verdade — respondi, tentando sorrir.

Meu pai, que parecia prestes a trocar o jantar com minha mãe e minha irmã pela companhia do amigo, disse:

— Vai avisar sua mãe que está indo embora?

Eu olhei em direção ao clube.

— Ela está sentada perto do bar, então vou sim.

Ambos riram, mas o olhar do meu pai era sério. Quando saí andando, ele disse:

— Pense no que eu falei, Col.

— Sim, vou pensar — respondi sem olhar para trás. — Assim que eu estiver podre de bêbado.

Olivia

Abri a revista na página da minha coluna, Ai, Olivia!, superanimada para ver minha foto e minhas palavras nas páginas lisinhas e brilhantes. Quem teria imaginado que um dia eu escreveria uma coluna de conselhos? Comecei a ler, embora já soubesse cada palavra de cor.

```
Querida Ai, Olivia!

Peguei meu namorado com outra garota, mas ele
diz que está arrependido e não para de me im-
plorar para voltar. A gente tinha brigado na-
quele fim de semana e tecnicamente estávamos
"dando um tempo", então de certa forma não foi
traição.
   Quero deixar isso pra trás e voltar com ele
porque eu o amo, mas toda vez que olho para
ele tenho um flashback daquela cara de sexo
horrorosa que ele estava fazendo quando peguei
os dois. Dá vontade de vomitar e fico com nojo
dele.
   O que eu faço para esquecer aquela cara? Me
ajuda!

Ah-Aquela-Cara-Não
Atenas, Geórgia
```

Querida Ah-Aquela-Cara-Não,

Falo como alguém que já pegou o namorado comendo bolo da barriga chapada de outra pessoa: a vontade de vomitar nunca vai embora! ECA! Você não consegue desver a cara dele de "vou gozar", da mesma forma que eu não consegui desver a cena do meu namorado lambendo cobertura do umbigo alheio.

Eca, eca.

Mas meu caso é um pouco diferente do seu, porque, em vez de implorar por perdão, meu namorado me agradeceu por tê-lo apresentado para o amor da vida dele. Eu não vou contar onde enterrei o corpo, mas posso dizer que gosto de comer bolo lá quando o tempo está bom. ☺

Mas, falando sério, o que importa são seus SENTIMENTOS por ele. Se você ama o cara de verdade e quer um futuro junto com ele, sugiro terapia. Tenho certeza de que se você falar sobre isso com um profissional, vai conseguir esquecer a cara de "vou gozar" e ter uma vida feliz com seu namorado. Vê se vale a pena! Boa sorte.

Com amor,
Olivia

Aquilo me alegrava. Escrever era a única coisa que me deixava feliz, porque era o que me ajudava a não pensar nele. Desde aquela manhã, escrevi mais do que nunca, porque no minuto em que parava de digitar, aquele canalha surgia na minha mente.

Nunca imaginei que viveria uma situação pior do que a que vivi com Eli. Fui pega de surpresa pela traição dele, e fiquei completamente em choque quando percebi que não estávamos na mesma página. Mas, depois de nos separarmos, comecei a perceber que todos os sinais estavam ali. Nós dois vivíamos vidas paralelas havia muito tempo, eu só não tinha me dado conta.

Colin, por outro lado... com ele tudo tinha sido perfeito, como em um filme. Não estava nos meus planos, mas nosso relacionamento tinha sido melhor do que eu poderia imaginar.

Mas isso tinha se perdido.

Eu nunca saberia se aqueles momentos aparentemente perfeitos haviam sido verdadeiros ou manipulados.

E isso era uma merda.

Colin

— Aqui está sua chave, cara.

Jack me entregou sua cópia da chave do apartamento e olhou em volta. Tudo estava exatamente igual, já que eu tinha decorado tudo sozinho — exceto pelo monte de tranqueiras no quarto de hóspedes —, mas era estranho ver meu amigo indo embora depois de morarmos juntos por tanto tempo.

Ele tinha decidido ir morar com Vanessa, o que provavelmente seria melhor para nós dois. O apartamento seria só meu, e ele teria uma chance de viver o seu "felizes para sempre". Eu preferia morrer a contar para o meu pai que iria morar sozinho, mas como a gente não se falava desde o jantar, ele não ficaria sabendo da novidade tão cedo.

— Valeu — respondi, pegando a chave.

— Se você precisar de um lugar para ficar, é só me mandar uma mensagem. — Ele sorriu e colocou as mãos nos bolsos, e pela primeira vez notei que ele e Olivia franziam o nariz da mesma maneira ao sorrir. — Mas acho que não tenho mais um colchão inflável. Sabe como são as irmãs mais novas, elas estragam tudo.

Jack me perguntou certa noite o que tinha acontecido com Olivia. Eu estava bêbado, então achei melhor que ela contasse, assim poderia dizer o que achasse melhor.

— A Livvie que deveria contar — respondi. E acho que depois disso dei um soluço.

Cheguei a pensar que ele ia me dar uma surra por ter magoado a irmã dele, mas, em vez disso, Jack me abraçou. Minha cara deve ter sido patética, porque ele só disse "Que merda, cara" e me puxou para um abraço de urso.

Graças a Deus, eu ainda tinha Jack. Se eu tivesse perdido os dois não teria aguentado.

— Então vai ser tipo "Traga Seu Próprio Colchão"?

— Isso aí. — Jack riu. — Cada colchão inflável por si.

— Você vai ver o jogo de sábado no Billy?

Eu esperava que ele respondesse que sim para podermos pular a despedida.

— Lógico.

— Então até sábado.

Ele acenou com a cabeça.

— Até sábado.

Depois de fechar a porta, coloquei uma música e fui para o escritório. Olivia tinha descoberto a verdade havia um mês, então desisti de tentar fazê-la mudar de ideia. Ela tinha me bloqueado e nunca abria a porta quando eu descia até o seu apartamento. Em uma última tentativa desesperada, mandei um buquê de flores gigante, mas ela o deixou na mesa do saguão do prédio, onde as flores morriam dia após dia.

Eu não a via desde aquela manhã — e isso estava me matando.

Mas era isso.

Não tinha volta.

Eu tinha lido algumas das colunas dela e achado incríveis. Estava feliz por ela ter conseguido um emprego em que parecia se encaixar tão bem. O texto era engraçado e autodepreciativo e tão a cara de Olivia que precisei parar de ler, porque eu sentia muita falta dela.

Liguei o notebook e comecei a trabalhar, mas era como se alguma coisa estivesse errada. Talvez fosse o fato de Jack ter ido embora e eu estar sozinho, mas algo *estranho* pairava no ar. Tudo devia ter voltado à normalidade — eu e Olivia nem tínhamos nada oficial, para começo de conversa —, mas o mundo inteiro estava uma merda.

Eu me recostei na cadeira e cocei o queixo. Jillian achava que era porque eu nunca tinha levado um pé na bunda antes. Disse que o choque de estar do outro lado da moeda era o que estava me afetando tanto e que não tinha nada a ver com Olivia.

Mas ela estava completamente errada.

Comecei a pensar em todas as coisas que eu gostaria de ter dito. Não mudaria muita coisa e não estaríamos juntos mesmo assim, mas talvez eu conseguisse não me sentir um merda se ela me deixasse explicar.

Acessei o site da revista dela e cliquei na página da coluna Ai, Olivia!.

Pareceu patético e muito tosco, mas eu cliquei no formulário para mandar um e-mail. Não enviaria, mas talvez fosse terapêutico. Olhei para o nada, tentando pensar no que escrever.

```
Querida Olivia,

O inimaginável aconteceu comigo: me apaixonei
por duas mulheres.

    Uma é encantadora, sagaz e inteligente, e a
outra é linda, intensa e a pessoa mais diver-
tida que já conheci. Eu poderia passar a vida
inteira falando com cada uma delas, escutando
suas opiniões sobre o mundo e mergulhando em suas
risadas contagiantes. Nunca me senti tão vivo
```

quanto quando estava com elas, e não consigo parar de sonhar com aqueles olhos verdes e aquelas sardas pequenininhas. E com cachorros e elevadores e caçarolas de pepperoni.

No fim das contas, descobri que as duas eram a mesma mulher, então não há dúvidas de que ela é a pessoa certa para mim, mas acho que estraguei tudo por causa da minha covardia. Você tem algum conselho para me ajudar a convencê-la (essa Mulher-Maravilha que consegue consertar um salto quebrado com seis pedaços de chiclete) a me dar mais uma chance?

Eu faria qualquer coisa. Estou louco por ela.

Ass.: Cérebro de robô
Omaha, Nebraska

Olivia

— Com certeza é ele.

Tomei um longo gole de vinho. Eu tinha lido e relido aquele e-mail a tarde toda, desde o minuto em que apareceu na minha caixa de entrada, e ainda não conseguia acreditar. Comecei a analisar:

— São a mesma mulher, cachorros, caçarolas de pepperoni, elevadores. É a gente! E eu chamei ele de cérebro de robô uma vez, então *só pode* ser o Colin.

Sentados a minha frente no quintal da casa deles, com seu bebê fofo e a brasa acesa entre nós, Sara e o marido haviam parado de tentar dar uma opinião e apenas me olhavam enquanto eu repetia as mesmas palavras: *Salto consertado com chiclete. Cachorros. Caçarola de pepperoni. Elevadores.*

Mas eu não conseguia acreditar que era ele.

Quando Colin tinha aprendido a escrever daquela forma?

Aquilo me fez chorar por uma hora inteira, porque eu sentia tanta falta dele que foi como levar um soco no estômago.

— Estou bêbada demais por considerar falar com ele? — perguntei.

— Com certeza — disse Sara, afastando a garrafa. — Não vá atrás daquele idiota.

Trae deu uma palmadinha nas costas do bebê e disse:

— Mas se você não falar com ele, vai ficar pra sempre pensando no que poderia ter acontecido.

— Hã?

— Como é? — Sara olhou para ele com uma expressão que dizia mais que mil palavras.

— Faz um mês que você está em dúvida se deveria ou não falar com ele. Com o passar do tempo, essa dúvida vai aumentar. Você vai sempre se perguntar como teria sido se tivesse conversado com ele.

— Hum.

Ele tinha razão, então ficou de pé e pegou a chupeta do bebê da mesa.

— Não vai doer.

Passei a mão pelo meu cabelo pensando no que tinha acabado de ouvir.

— Pode doer, sim.

— Bom, já está doendo, querida — argumentou ele, balançando a criança. — Ligue para ele.

Merda. Olhei para Sara, que revirou os olhos e disse:

— Acho que ele tem razão.

Abri a agenda do celular, desbloqueei Colin e mandei uma mensagem.

Eu: Você é o cérebro de robô?

Eu não esperava que ele respondesse imediatamente, mas foi o que aconteceu. Sim.

Suspirei e respondi: Acho que não vai mudar nada, mas se ainda quiser conversar, podemos nos encontrar amanhã no Café Corbyn às 8h.

Eu mal tinha clicado em "enviar" quando ele respondeu:

Estarei lá.

Olhei para Sara e Trae, atônita.

— Meu Deus. Vamos nos encontrar amanhã.

Sara me emprestou um vestido lindo antes de eu ir embora e me fez prometer que eu ligaria assim que chegasse em casa depois do encontro. Não dormi nada naquela noite. Não sabia o que pensar, não sabia o que queria. Metade de mim imaginava Colin implorando por perdão e eu cedendo. Então teríamos uma maratona de sexo maravilhoso o dia todo, depois ele se declararia para mim e viveríamos felizes para sempre.

Mas a outra metade era realista. Se eu perdoasse Colin, viveria de novo a sensação de estar completamente apaixonada, mas constantemente com medo de que tudo aquilo fosse passageiro. Eu não conseguiria suportar isso mais uma vez, então não tinha a menor ideia do que fazer.

21

Olivia

— Oi, tudo bem? Eu queria um refil.

Entreguei meu cartão e meu copo para o barista e respirei fundo. Eu tinha acordado às seis da manhã, ansiosa e aflita, então, em vez de tentar dormir mais, peguei meu notebook para trabalhar um pouco enquanto esperava.

Eram 7h50 da manhã. Eu ainda tinha dez minutos.

Peguei meu café e voltei para a mesa próxima à janela, determinada a me concentrar no trabalho.

— Olivia?

Olhei para cima e...

— Nossa! Oi, Nick!

Eu sorri, mas na verdade queria que ele desaparecesse. Colin logo chegaria, e vê-los juntos me deixaria tão irritada com o esquema deles que poderia acabar arruinando tudo.

— Como você está? — Ele abriu um sorriso enorme, e eu me perguntei se ele teria achado engraçada a maneira como o beijei, se teria rido disso com Colin.

— Olha, Nick, eu sei sobre o acordo de vocês. Colin me contou.

— Ah. — Ele pareceu abalado. — Hã...

— Não esquenta, eu não estou brava — disse, sorrindo de uma forma que eu torcia para parecer amigável. — Eu entendo os motivos dele.

— Ufa. Estava me incomodando muito, só para você saber.

— Não se preocupe — pigarreei. — Mas queria perguntar uma coisa. Eu entendo as razões de Colin, mas por que *você* concordou com tudo isso?

Ele pareceu desconfortável outra vez.

— Bom...

— Acho que você só se sentiu mal e não quis que eu me sentisse rejeitada. Como Colin.

Ele concordou, feliz pela ajuda.

— Sim. Colin me disse que você tinha passado por muita coisa, que tinha sido demitida e tudo mais, e disse que você era como um filhotinho de cachorro indefeso e que não queria que você ficasse triste por levar um bolo.

— Caramba. — *Como um filhotinho de cachorro.* Cerrei os punhos. — Como você é legal.

Seu tom de voz foi baixo quando disse:

— Bem, ele teve que me comprar uma garrafa de uísque, então eu não sou tão legal assim.

Ele achou que aquilo seria engraçado?

Nick se aproximou.

— Na verdade, eu queria ter chamado você para sair depois, mas Colin não deixou. Então espero que não esteja chateada por eu não ter ligado.

— Sério? — Dei uma risada falsa digna de um Oscar. — Então você não queria tanto assim, se Colin conseguiu convencer você a não fazer isso.

— Bom, estou convidando agora. — Ele parecia satisfeito com a própria resposta. — Quer sair comigo qualquer dia desses?

— Agora Colin vai deixar?

Ele sorriu.

— Eu já entendi qual é a dele. Ele disse que você era maluca da cabeça e cheia de questões, mas eu devia ter imaginado que ele estava mentindo só para me manter fora do território dele.

— Você sabe que se referir a uma mulher como "território" de alguém é ofensivo, não sabe?

Maluca da cabeça. Cheia de questões. Senti vontade de sair quebrando tudo quando uma raiva súbita borbulhou em mim. Eu tinha chegado à conclusão de que aceitaria o pedido de desculpas de Colin em nome da possibilidade do amor verdadeiro.

Mas eu era uma piada para ele. Sempre fui.

— Eita — disse Nick, passando a mão pela barba. — Não quis ofender você, me desculpe. Só quis dizer que acho que Colin estava com ciúme.

Com seu timing impecável de sempre, Colin entrou pela porta. Ele ainda não tinha nos visto e me doeu fisicamente ver quão bonito ele era, como uma estrela de cinema. Aqueles olhos expressivos, aquela boca que eu sabia que tinha sabor de menta em noventa e nove por cento do tempo; era tudo em vão.

Um desperdício de beleza.

No momento em que Colin me viu, todo o resto desapareceu. Seus olhos estavam nos meus e, por um longo segundo, nada mais existia no mundo. Ele estava quase abrindo um sorriso quando viu Nick.

Colin se aproximou.

— Nick. Não esperava ver você aqui.

Nick olhou para mim, depois para Colin.

— Essa cidade é um ovo.

Eu fechei meu notebook e o enfiei na bolsa.

— Beck, olha só, vamos ter que deixar isso para outra hora.

Ele pareceu ficar em estado de alerta.

— O quê?

Eu dei de ombros.

— Nick me chamou pra sair e acho que prefiro fazer isso agora. A gente pode conversar semana que vem ou sei lá.

— Acho que Nick quis dizer mais tarde. — Colin olhou feio para o amigo. — Nick quer sair com você mais tarde.

— Quando você quiser — gaguejou Nick.

— Não me interessa o que *você* acha que Nick quis dizer, Colin. — Eu me levantei da mesa e olhei para ele de queixo erguido. — Eu quero sair com ele agora.

— O que é isso? — Ele gesticulou entre mim e Nick, parecendo irritado. — Vocês andam se falando?

— Não, não — respondeu Nick, puxando tanto o saco de Colin que senti vontade de dar um soco nele. — A gente acabou de se encontrar por acaso.

Então eu disse a Colin:

— Nosso relacionamento não é da sua conta.

— A gente não tem relacionamento nenhum — riu Nick, olhando para Colin como se eu fosse *mesmo* maluca — Sério.

— Pelo amor de Deus, dá para tirar as bolas do Colin da boca por um segundo? — Revirei os olhos e me voltei para Colin. — Na verdade, eu não quero sair com ele. Mas também não quero falar com você. Então até depois.

Eu dei dois passos antes de Colin me puxar pela alça da bolsa.

— A gente não ia conversar?

— Eu tive uma conversinha com seu amigão Nick e já sei de tudo que eu precisava saber.

Colin olhou para Nick.

— O que foi que você disse pra ela?

Nick ficou vermelho e parecia estar entrando em desespero. Ele baixou a voz e disse para Colin:

— Não faço ideia do que está acontecendo, cara. Você tinha razão sobre ela. Eu só passei para dizer oi, ela está viajando.

— Eu estou aqui, seu idiota — disse com dentes cerrados.

Colin olhou para mim e depois para Nick.

— Acho melhor você ir embora para eu e Olivia conversarmos.

Nick praticamente saiu correndo porta afora enquanto Colin e eu ficamos ali, olhando um para o outro.

— Podemos nos sentar? — Ele ainda segurava minha bolsa. — Por favor?

Mordi meu lábio antes de responder:

— Acho que não quero conversar.

Ele cerrou a mandíbula e tocou meu queixo.

— Por favor.

Balancei a cabeça, mas minha vontade era de acomodar meu rosto na palma de sua mão.

— Eu não...

— Eu te amo.

O mundo inteiro mergulhou em silêncio quando ouvi aquelas palavras.

— O quê?

Ele engoliu em seco antes de continuar:

— Eu te amo. Eu sei que estraguei tudo e sei que a gente ia ter um lance casual, mas de alguma forma eu acabei me apaixonando por você. Nem eu consigo acreditar nisso, mas mesmo que a gente tenha passado a vida inteira se detestando, me sinto completamente perdido sem você.

Colin

Eu a observei processar a informação.

Suas sobrancelhas escuras se juntaram, como sempre faziam quando Olivia estava pensando em algo que não conseguia entender muito bem. Ela começou a piscar rápido, me encarando com aqueles olhos verdes como se pudesse ver minha alma, e juro por Deus que comecei a suar.

O que eu tinha acabado de dizer?

Era cem por cento verdade, mas eu não tinha me dado conta até ouvir as palavras saindo da minha boca; eu mesmo me sentia como se tivesse acabado de receber uma notícia impactante. O tempo pareceu se arrastar enquanto ela me olhava, e eu achei que fosse enlouquecer se ela não dissesse alguma coisa.

Qualquer coisa.

— Você me ama — disse ela, quase em um sussurro, os olhos atentos ao meu rosto.

— Sim.

— E você "nem consegue acreditar nisso"?

— Pois é. Digo, você consegue? — Coloquei as mãos nos bolsos para conter a vontade de tocá-la, e sorri. — Depois desse tempo todo? É muito louco.

Ela sorriu também, mas deu para perceber que era forçado. Alguma coisa estava errada.

— Sim, muito *louco* mesmo. Quer dizer, Colin Beck se apaixonando por uma maluca da cabeça como eu? Quem imaginaria?

Ai, cacete.

— Não foi o que eu quis dizer.

Ela balançou a cabeça.

— Talvez não, mas foi exatamente o que você disse. Você "me ama" apesar de tudo o que sabe sobre mim. Você acha que me ama e *nem você* consegue acreditar nisso.

— Caramba, Liv...

— Não me chame de Liv.

— Então caramba, *Olivia* — repeti com os dentes cerrados. — Será que você pode não falar dos meus sentimentos como se eles fossem uma piada pra você?

Ela puxou a alça da bolsa e a colocou no outro ombro.

— Mas *são uma piada,* Colin. Fala sério. Você não me ama, da mesma forma que eu não amo você. Nós dois amamos sexo de qualidade e encher o saco um do outro. Só isso.

Eu não fazia ideia de como responder a isso, ao desprezo dela pelos meus sentimentos.

— Você está errada.

— Não, não estou. — Olivia tirou as chaves do bolso. — Se eu não tivesse descoberto sobre o Número Desconhecido, você teria cansado de mim na segunda vez que eu derrubasse alguma coisa no seu carro ou usasse o sapato errado para ir ao clube.

— Uau. Depois de todo esse tempo você ainda me vê assim? — Fiquei surpreso ao perceber que suas palavras conseguiram fazer com que eu me sentisse pior do que antes. Acho que eu nunca tinha percebido o quão babaca ela me achava. — Acho que é isso, então. Se cuida, Marshall.

Eu me virei para ir embora do café e algo dentro de mim morreu quando a ouvi responder em voz baixa:

— Você também, Beck.

22

Olivia

DIA DE AÇÃO DE GRAÇAS

— Mas ela sempre dá a volta por cima.

Minha mãe estava na cozinha usando uma blusa idiota com o desenho de uma abóbora. Ela, minha avó e minha tia Midge (todas usando blusas idiotas com desenhos de abóbora) falavam sobre mim como se eu não estivesse bem ali com o resto da família.

— As habilidades dela para dar a volta por cima são inigualáveis — zombou Jack com um sorrisinho debochado. Ele me cutucou com o tênis de onde estava deitado no chão. — Que impressionante.

— Cala a boca.

— Ele tem razão, Liv — concordou Will com um sorriso. — Nunca vi igual.

— Muito engraçado. Vocês dois estão ridículos com essa roupa, falando nisso.

Eu queria dar o fora da cozinha e ir brincar no quintal com os meninos, mas, como era Dia de Ação de Graças, eu tinha concordado em ficar lá dentro com os adultos e "fazer sala".

— Você também não está a coisa mais linda do mundo — disse Jack para mim, antes de se voltar para Will e reclamar. — Liv anda muito rabugenta ultimamente.

— Ela me deu um soco dolorido ontem e nem foi de brincadeira — concordou Will.

— Dá para os dois humoristas ficarem quietos?

Mudei de posição no sofá para tentar ouvir melhor a TV. Estávamos assistindo a um DVD gravado pelo meu pai com episódios de Ação de Graças de várias séries, e era a vez de *Friends*. Ignorei meus irmãos durante a maior parte do episódio até ouvir Will dizer o nome de Colin.

Mantive meus olhos na TV quando Jack disse:

— Aham, ele foi promovido e vai para Chicago.

— Ele está vendendo o apartamento? — perguntou Will.

— Sim. É o melhor apartamento do prédio, vai vender num minuto.

— Quando?

Os dois olharam para mim. Que merda, eu tinha falado em voz alta?

— Hein? — Balancei as mãos para acelerar os dois. — Quando ele vai se mudar, Jack?

— Não que seja da sua conta, mas acho que ele viaja na próxima semana e vai ficar em um hotel até encontrar uma casa.

Pisquei, me sentindo meio zonza.

— Não acredito que ele não me contou.

Jack franziu a testa.

— Você odeia o Colin. Por que ele contaria?

— Não odeio, não.

Fiquei olhando para a TV sem assistir de verdade. Ele estava se mudando? Estava indo embora e não ia nem me contar, como se fôssemos dois estranhos? Senti um nó na garganta.

— Vem aqui — sussurrou Jack, dando uma olhada para minha mãe como se não quisesse que ela ouvisse.

Desci para o chão e me sentei ao lado dele.

— O que foi?

— Não vá se sujar, Liv — gritou minha mãe, fazendo cara feia enquanto mexia uma panela no fogão. — Ainda temos que tirar a foto.

Como eu faria isso?

— Não vou, mãe.

Então voltei a atenção para meu irmão, que disse:

— Tenho quase certeza de que ele vai embora por sua causa. Você acabou com ele.

— Como assim eu *acabei com ele*?

— Shhiu. Nossa senhora.

Olhamos na direção da cozinha. Felizmente a tia Midge estava falando sobre batatas e botulismo, então ninguém me ouviu.

Passei a sussurrar:

— Foi isso o que ele disse pra você?

Ele balançou a cabeça.

— Colin não me disse nada, mas a gente se conhece desde sempre. Nunca o vi assim. Nem mesmo quando ele pediu Daniela em casamento e ela disse não.

Revirei os olhos e me esforcei para não visualizar o rosto dele.

— Ele disse para a irmã que não aguenta viver na mesma cidade que você, muito menos no mesmo prédio, sabendo que vocês não vão ficar juntos. Disse que está acabando com ele.

— Mentira. — Senti meu coração disparando no peito. — Ele jamais diria isso.

— Tô falando sério. Jillian me mandou uma mensagem outro dia. Pelo visto ele disse isso quando estava bêbado. — Jack pegou o celular, abriu o aplicativo de mensagens e rolou a tela antes de virá-la para me mostrar. — Ela me perguntou se eu estava sabendo de alguma coisa.

Olhei para o celular. Estava lá, palavra por palavra.

— Ai, meu Deus. — Eu me levantei e ajeitei minha blusa. — Tenho que ir.

— O quê? — gritou minha mãe da cozinha. — Ir aonde? Vamos comer daqui a uma hora.

Olhei em volta e todo mundo me encarava.

— Eu... hum... tenho que ir falar com uma pessoa.

— Pelo amor de Deus, Olivia, é Dia de Ação de Graças.

— Eu sei, mãe — respondi, pegando minha bolsa do chão. — Eu já volto.

— Vamos tirar a foto em família daqui a pouco. Isso não pode ficar para amanhã? — Ela olhou para a tia Midge e depois para meu pai. — Fred, diga que isso pode ficar para amanhã.

— Isso pode ficar para amanhã — murmurou meu pai, sem se dar ao trabalho de abrir os olhos.

— Não pode, não.

— Que porra é essa, Liv? — reclamou Will.

Embora já fosse um adulto funcional com dois filhos, Will ainda ficava irritado quando alguém se atrevia a fazer algo que ele não podia.

Como, por exemplo, ir embora no Dia de Ação de Graças.

— Olha a boca, William — ralhou minha mãe, fingindo estar horrorizada, embora xingasse como um marinheiro quando achava que estava sozinha com meu pai.

— Preciso falar com Colin antes que ele vá embora.

Olhei para Jack com uma expressão que fez Will exclamar:

— Ué, você está a fim de Colin Beck?

A casa inteira pareceu parar, à espera da minha resposta. Meu pai até abriu os olhos.

Eu apenas assenti.

— Ah, meu bem — disse minha mãe com um sorriso piedoso. — Eu sei que Colin é muito bonito, mas acho que ele não faz seu tipo.

— Quê?

— Ele é perfeitinho demais, sempre foi. Determinado, bem-sucedido... — Ela não terminou a frase, como se aquilo fosse explicação suficiente.

— E o que você quer dizer com isso, mãe?

Ela simplesmente arqueou as sobrancelhas.

— Pois saiba que tivemos um caso por alguns meses antes de eu dar um pé na bunda dele.

— *O quê?* — quase gritou Will. — Duvido.

— Ah, Livvie — disse minha mãe, aparentemente decepcionada por achar que eu estava inventando coisas como uma criança cheia de imaginação.

— Vocês realmente não acreditam em mim? — Peguei minhas chaves e olhei para Will. — Vai se ferrar.

— Olha a boca! — exclamou minha mãe enquanto meu pai murmurava um "Ai, Jesus".

— Estou indo — avisei antes de sair correndo em direção à porta.

Apesar de minha família ter me irritado, eu estava ansiosa demais para falar com Colin para me importar com eles. Entrei no carro, dei ré e saí depressa da garagem, morrendo de medo de ele já ter ido embora.

Olhei para a casa e vi os rostos deles pressionados na janela me olhando. Eu sabia que devia acenar e me despedir ou me sentir mal por ir embora em uma data comemorativa, mas em vez disso mudei a marcha do carro e acelerei.

Eu precisava falar com Colin e nada mais importava.

Respirei fundo e bati outra vez.

Já era a terceira rodada de batidas e ninguém tinha aparecido.

Anda. Logo.

Ele já teria ido embora? Eu não tinha chegado a tempo? Eu me perguntei se Jack saberia como encontrá-lo em Chicago caso ele já tivesse ido. Bati de novo e peguei meu celular.

Talvez a mensagem que nos uniu — e nos separou — fosse a resposta.

Eu: Por que você não me diz o que está vestindo, Número Desconhecido?

Escorreguei pela parede e me sentei no carpete do corredor. Eu não tinha mais nenhum plano, mas não estava disposta a aceitar que ele já tinha partido.

Ele não podia ter ido. Simplesmente não podia.

Depois de uns bons cinco minutos, mandei outra mensagem: *Estou aqui na sua porta usando a blusa mais sexy que vc já viu na vida.*

Enviei a mensagem e depois mandei uma foto da minha blusa.

Ele não respondeu. Depois de mais dez minutos, fiquei de pé e passei a mão pela porta do apartamento. Contive as lágrimas e tentei uma última vez, só por via das dúvidas. Lá dentro ainda estava silencioso. Pigarreei e apoiei a cabeça na porta.

— Isso vai soar bem bizarro, mas só hoje percebi que perdoei você por tudo. Assim que Jack disse que você ia para Chicago, percebi que nada mais importava além de vir até aqui e implorar pra você não ir.

Pisquei com força para conter as lágrimas.

— A menos que você esteja morrendo de vontade de ir — continuei. — Nesse caso, vou implorar para você me mandar um monte de mensagens e me deixar visitar você de vez em quando ou algo assim. — Eu me endireitei e murmurei, pensando em voz alta: — Que merda. Ele nem deve estar em casa.

— Ele está em casa, sim.

Virei rápido o rosto e lá estava Colin, vindo pelo corredor em direção a seu apartamento com um casaco preto de inverno. Suas bochechas estavam vermelhas como se ele tivesse passado muito tempo no frio lá fora. Ele me encarava com uma expressão séria; não havia nenhum calor nos olhos azuis com os quais eu sonhava fazia um mês. Senti a boca seca e me esforcei para pensar no que dizer enquanto ele continuava a me encarar friamente. Eu tinha ensaiado o que falar no caminho, mas naquele momento só consegui dizer:

— Você ia mesmo se mudar para Chicago sem me contar?

Odiei como minha voz falhou.

— Por que eu contaria? — Ele deu uma olhada na minha blusa de abóbora, mas não disse nada. — Faz diferença?

Eu assenti.

Ele semicerrou os olhos.

— O que isso significa?

— Sim.

— Sim, o que, Marshall? — Colin fez um gesto para que eu continuasse. — Vai ter que me ajudar a entender o que está acontecendo aqui.

Enfiei as mãos nos bolsos.

— Estou tentando pedir desculpas.

— Fazendo que sim com a cabeça?

Fiz que sim com a cabeça.

— Olha, não sei o que você quer que eu faça — disse ele, esfregando a sobrancelha. Sua voz estava grave. — Eu fiz merda e você quis acabar com tudo. Eu disse que te amava e você não deu a mínima. E agora que estou me mudando, você volta...? O que você quer que eu faça?

Eu não tinha resposta, então apenas dei de ombros, sem saber o que fazer.

— Está bem, Liv, já entendi que de repente você desaprendeu a falar, mas não quero continuar com isso, tudo bem? — Ele colocou as mãos nos bolsos. — Eu sei que foi minha culpa, mas perder você foi a pior coisa que já aconteceu comigo. Tudo ficou uma merda, tudo me lembrava você e eu estava tão triste que não sabia o que fazer comigo mesmo. Não quero continuar vivendo assim, torcendo para te encontrar no elevador ou imaginando como seria se a gente se esbarrasse na Starbucks. Eu amo você, Olivia, mas isso está acabando comigo. Preciso me afastar.

Senti meu coração saindo pela boca.

— Você ainda me ama?

Ele balançou a cabeça.

— Para com isso. A questão não é essa.

— Meu Deus, óbvio que é. — Eu estava em prantos, mas já não me importava. — Eu também amo você. As coisas estão uma merda para mim também, pode perguntar pra quem você quiser. Eu dei um soco em Will outro dia porque ele disse que eu parecia um bebê chorão.

Ele inclinou a cabeça.

— Mentira.

— Juro. E minha mãe provavelmente vai aparecer aqui a qualquer momento porque eu saí no meio do jantar do Dia de Ação de Graças para vir falar com você.

— O quê?

Revirei os olhos.

— Jack disse que você estava se mudando, então eu só... vim. E a gente ainda nem tinha tirado a foto em família.

— Você saiu no meio do jantar?

Fiz que sim com a cabeça.

— E eu faria isso de novo para impedir você de ir embora.

— Caramba, *eu tinha razão*. — Colin me encarou como se estivesse enxergando minha alma ou algo assim.

— O quê? — perguntei.

A expressão de Colin se suavizou e ele olhou para mim como se tivesse solucionado um enigma.

— Quando fomos ao Fleming's e você deixou aquele cachorro te derrubar no estacionamento, eu percebi uma coisa. Você não é uma destrambelhada, Livvie. Longe disso. Você é um... um... tornado em forma humana, tão cheia de vida, tão cheia de energia, que de vez em quando gera um certo dano colateral.

Abri a boca, mas não soube o que dizer — pela primeira vez na vida.

— Mas todos os danos colaterais valem a pena. Eu queria viver a vida intensamente do jeito que você vive. — Ele tirou as mãos dos bolsos e se aproximou, segurando meu rosto. — Você não sabe como admiro isso em você.

— Colin. — Olhei para o rosto lindo dele sem saber se algum dia um elogio tinha mexido tanto comigo. — Está me dizendo que sou luz? Que eu sou raio, estrela e luar? Que eu sou seu iaiá...

Ele me interrompeu com um beijo, um dos beijos de Colin, aqueles que me faziam segurar sua camisa com força, que me fez lembrar de como as coisas eram incríveis entre a gente. *Como se eu precisasse de um lembrete.* Ele interrompeu o beijo e disse, sem desencostar a boca da minha:

— Fale de novo.

Eu sentia que meu coração ia estourar.

— Eu te amo.

Ele sorriu para mim.

— De novo.

— Eu te amo, Colin Beck.

— Eu também amo você, Marshall.

Ele segurou meu rosto outra vez e me deu o beijo mais suave e quente do mundo, do tipo que envolve o corpo inteiro e faz com que você se sinta absurdamente, deliciosamente, insuportavelmente amada. Eu me deixei mergulhar no sentimento, sem medo nenhum.

Eu queria mergulhar em todos os oceanos possíveis com ele.

E mesmo depois que os alarmes de incêndio começaram a apitar porque eu acidentalmente pressionei Colin contra o acionador manual da parede, ele continuou me beijando de corpo e alma.

Epílogo

Olivia

DUAS SEMANAS DEPOIS

Cara do Número Desconhecido: Sabia que imagino você sem roupa, tipo, 24h por dia? Não consigo parar. Acho que tenho um probleminha.

Eu ri e me ajeitei no cobertor. Depois respondi: Também. Outro dia acho que sua mãe me viu olhando direto para o seu...

Cara do Número Desconhecido: Sim, gata, fala, quero ouvir.

Eu ri e quase derrubei o celular no chão. Depois me virei na cama para ficar de frente para ele e digitei: Quer que eu fale por mensagem? Ou prefere que eu sussurre no seu ouvido?

— No meu ouvido. Agora.

Colin estendeu a mão para que eu entregasse meu celular. Ele arqueava uma das sobrancelhas e tinha um olhar intrigante.

Em vez de entregar o aparelho, eu o coloquei no chão e disse:

— Eu vivo dizendo para o Cara do Número Desconhecido que não preciso mais dele, mas ele não me deixa em paz.

Colin jogou o próprio celular ao lado do meu e subiu em cima de mim.

— Não posso culpar o sujeito. Quando você encontra sua Sem Querer perfeita, é loucura abrir mão.

As palavras de Colin pulsaram em minhas veias, densas como mel.

— Amo você, Número Desconhecido.

Colin beijou a ponta do meu nariz.

— Também amo você, srta. Sem Querer.

Agradecimentos

Antes de mais nada, quero agradecer a todos que leram esta história. O livro que vocês estão segurando é, para mim, um sonho realizado e eu serei eternamente grata por estarem participando da minha versão do "Felizes Para Sempre". Obrigada, obrigada, obrigada. Se um dia eu estiver perto de sua casa, posso levar seu cachorro para passear com prazer. Afinal, te devo uma.

Infinitas montanhas de gratidão a Kim Lionetti, minha agente maravilhosa. Você esteve ao meu lado quando meu primeiro livro não vendeu, esteve quando meu próximo livro vendeu e também quando fui parada pela polícia rodoviária de Utah, me mandando propostas via mensagem enquanto o policial preparava minha multa. Sou muito sortuda por ter você e a BookEnds comigo.

Obrigada a Angela Kim, minha editora incrível. Desde a primeira ligação, eu soube que você era a pessoa perfeita pra esse livro e trabalhar com você foi o máximo. Fico muito feliz — e grata! — em saber que vou trabalhar em mais livros com você! *insira estrelinhas*

Obrigada a todos na Berkley PRH; o processo como um todo foi muito prazeroso. E um obrigada mais que especial a Nathan Burton por ter criado uma capa tão maravilhosa.

Ah, e só para constar... os tweets de Tom Colgan merecem levar todas as premiações literárias, só dizendo...

E agora as Berkletes — principalmente India, Courtney, Amy, Lyn, Sarah ZJ, Sarah Bruhbruh, Joanna, Nekesa, Ali, Elizabeth, Libby, Alanna, Amanda, Mia, Freya, Eliza, Lauren e Olivia —

vocês são tudo pra mim. Sempre ouvi o bom e velho conselho para escritores: "Encontre sua turma." No entanto, sempre achei que essa pateta que vos fala não estivesse inclusa nessa, já que não sei fazer amigos com facilidade. E agora olha só pra mim, andando com um grupinho de seres humanos megatalentosos que hoje posso dizer que são meus amigos mais próximos. *Como isso foi acontecer?* Obrigada por terem me acolhido nesse grupo tão hilário que me faz morrer de rir na frente do computador todos os dias. *(Veja também: atadura, mãos, Chris malvado).*

Um MUITO OBRIGADA à comunidade do Bookstagram por toda a gentileza e boa vontade ao ajudar uma *noob* como eu. Eu admiro muitíssimo o apetite literário e as técnicas de organização de vocês. Ainda não consigo explicar a sorte que os autores têm de ter vocês; não somos merecedores (estilo Wayne-e-Garth). Um obrigada especial para o pessoal encantador da Love Arctually; quero ser bff de todos vocês.

Obrigada também a Carla Bastos, Aliza Pollak, Chaitanya Srivastava, Shay Tibbs e à maravilhosa Dayla da Indigo. Sou muito grata ao BTTM por me apresentar pessoas incríveis como vocês. E Lori Anderjaska — obrigada por ser o tipo de pessoa que me manda mensagens aleatórias de cachorros falando palavrão.

E agora minha família:

Mãe, ao encorajar meu amor pelos livros, você fez de mim uma escritora. Não deve ter sido muito legal andar seis quarteirões — fizesse sol, neve ou chuva — até a biblioteca toda semana, mas sou eternamente grata. Amo você daqui até a lua, ida e volta.

Pai, sinto sua falta todos os dias.

MaryLee, eu não mereço uma irmã tão gentil quanto você e mal posso esperar para ver seus filmes. VAI DAR CERTO.

Aos meus filhos — Cass, Ty, Matt, Joey e Kate —, vocês não tinham que estar lendo esse livro, não. Dito isso, vocês são as pessoas mais maneiras que eu conheço. Vamos comer macarronada com almôndegas o mais breve possível. Amo vocês.

E por último, mas não menos importante, Kevin. Olha só, eu dediquei o livro inteiro pra você, então acho que isso já é suficiente, mas, se não for, obrigada por não ter me demitido aquela vez em que fiz check-in de hóspedes em um quarto já ocupado. Se você tivesse colocado a recepcionista atrapalhada no olho da rua quando aquele cara gritou com você, eu não teria te pentelhado até sairmos num encontro e aí no fim das contas você não estaria vivendo a vida ao meu lado. Onde você foi amarrar seu burro, hein? ☺ Amo, amo, amo você.

1ª edição	SETEMBRO DE 2023
reimpressão	JUNHO DE 2025
impressão	LIS GRÁFICA
papel de miolo	LUX CREAM 60 G/M^2
papel de capa	CARTÃO SUPREMO ALTA ALVURA 250 G/M^2
tipografia	GARAMOND PREMIER